贄宴

Shi En

山下昇平作品集

Shohei Yamashita

二見書房

CONTENTS

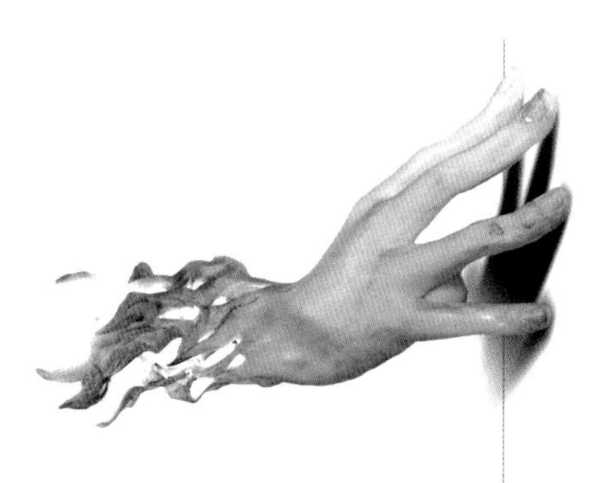

かいたい

聖女　懐胎あるいは解体

静閑（2020）

花束（廃棄）（2020）

吸血拝受（2007）

慕受信塔（2014）

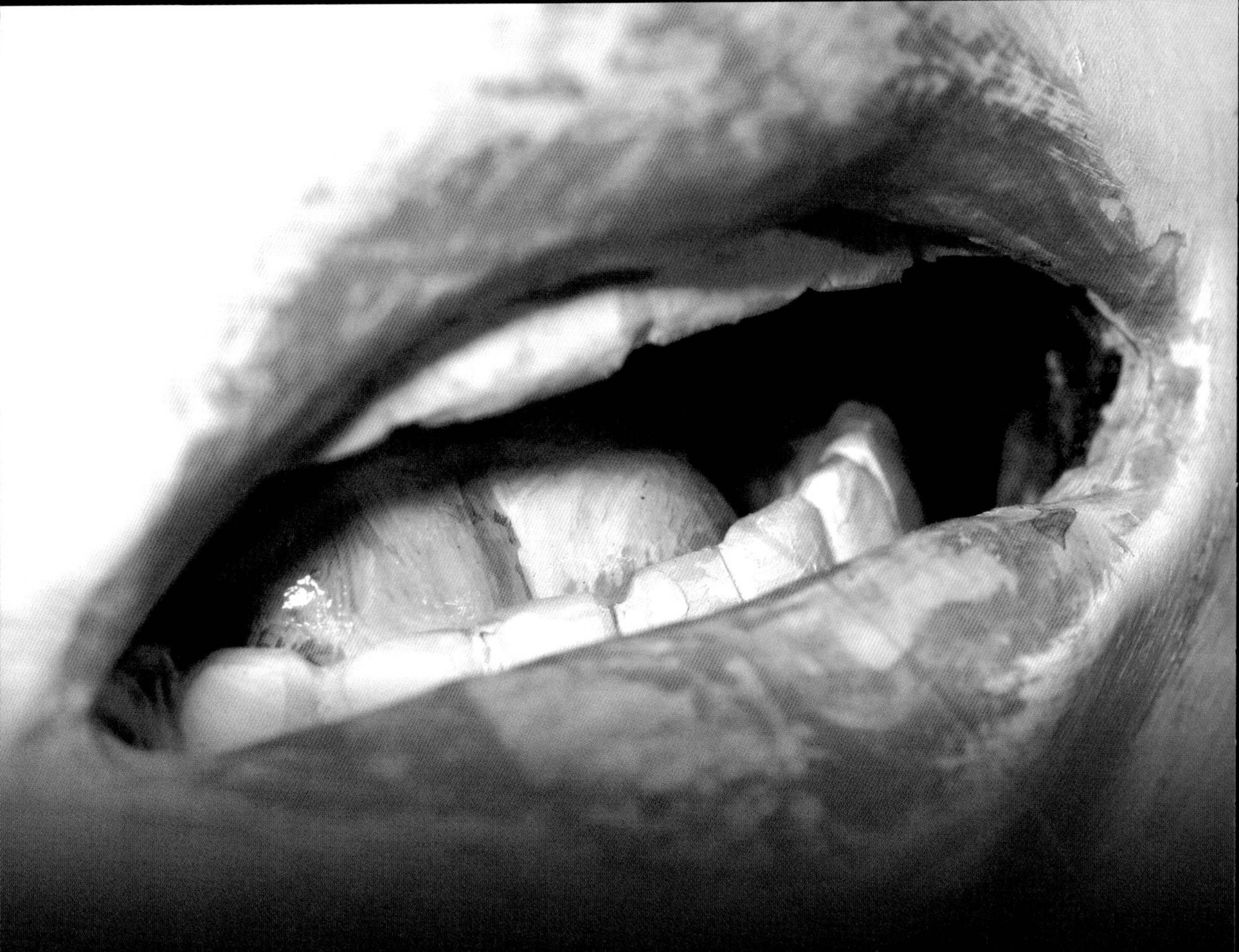

胎蛇解放

京極夏彦

雲霞を足下に追い遣る程に登り行くと、天空を突き刺すが如き尖った山が左右に岐れ、百畳敷ばかりある踊り場が現出した。これこそが話譚に聞く鬼仙の住み処であろうかと覧回してみたが、風は凪ぎ虫が動く程の気配もなく、草木も一本たりとも生えてはおらず、ただ其処此処に奇岩怪石が堆く積るだけの場所であった。

更に登らねばならぬのかと左右の山を仰ぎ見るに、切り立った岩峰には道は疎か取り付ける起伏すら一つもなく、頂は曇天の彼方へと消失している。凡そ上がれるものではない。然らば此処に違いあるまいと、足を踏み入れ具に覧たが、腸の如き醜怪な模様を付けた岩岩が、無言で威容を誇っているだけである。

中程まで歩を進め、つと見上げると、

八尺ばかり丈のある尖った岩柱の上に、娘の首が載っていた。

噫、首だと思った。

生首だ。髑髏でも枯骸でもない。晒されているのでもない。艶やかな黒髪が垂れ覆い、岩から娘の生首が生えているかのようだった。皮膚は白く血の気はないが、蕾の如き唇だけは朱を指したように紅い。見開かれた両眼はぬらぬらと濡れ、ただ一点を凝視している。

綺麗な首だ。

「人臭い」
首はそう云った。
「人臭いと思うたけれど、斯様な忌地に人の来る筈もなし。果たして何の香であろうか」
首はそう云い乍らも、決して視軸をずらすことなく一点を凝眸しているのであった。
「儂は人じゃ」
そう云った。
「この霊山の奥深く、不入峰の更に先、鳥も通わぬ不毛の土地に、八百年生き長らえる鬼仙が棲むと人に聞き、風雪に耐え三年三月の歳月をかけ、漸う辿り着いたところじゃ」
首は肉色の湿った舌を見せて嗤った。
「妾も此処に八百年こうして居るが、そのような者は露とも知らぬ。鬼仙も人仙も此処には居らぬぞ。扠、其方は何故に仙を求めおる」
「生返の法を授かりたいのじゃ」
首は再び嗤う。
「笑止。世の理に反する法なぞを、人風情が御せるものか。愚かよ愚かよ」
首は朱唇を開き白い歯を見せ、鳥のような声を発して一層に嗤った。
可笑しければいつまでも笑え。
「妻が死んだ」
それがどうした。
「妻は妊っておった」
それがどうした。
「生まれる筈の子も死んだ」
「それがどうした。人は皆死ぬ。獣も鳥も虫も幾年生きるものは死ぬ」
死ねるは佳きことじゃと首は云う。
「何と云うことを仰せになるか。儂の女房は未だ十九だったのじゃ。十九で死する不遇不幸をして佳きことと仰せになるとは、如何なる云い様であろうか。無情無慈悲にも程があろう」
戯けたことをと首は云う。
「妾は十六じゃ」
首は眉間に皺を立てた。酷く哀しそうな表情に見えたが、それでも視軸はぴくりとも揺るがなかった。
慥かに十六七の娘の首だ。
「得心が行きませぬ。そもそも御首様はどのような御方でござりましょうや。神か。魔か。それとも山の気が凝った精か」
「妾は神霊でも魔縁外道でもない。精魅でもない。其方と同じ人じゃ」
「何の人であろうものか。御首様は先程、八百年ここに御坐すと仰せになったではございませぬか。人はそれ程の歳月を生き続けられるものではありますまいに。加えて、御首ひとつで生き長らえることも、常人には出来申さぬぞ。御首様には」
御首様には。
御體がないではございませぬか。
「御體なくば既に人ではありますまい。死せる者であるならば亡魂の類いかと存ずる」
無礼者と首は云う。
「妾が冤鬼魂魄であるのなら、斯様な浅ましき姿で居よう筈もないではないか」
「ならば」
「妾は死してはおらぬ。死ねぬのだ。死ねずに居るだけなのだ。十六のまま八百年、ここにこうして生きておるのだ。眼も閉じず何処へも行けず、ただただこうして」
見張るのみであると首は云った。
「見張るとは」
前に回ろうとすると、首はまるで鋭い刃物で切り付けるような声音で制した。
「控えよ。妾の正面に出てはならぬ。妾の眸の見る先を遮ってはならぬ」
ならぬならぬ。
首は瞬き一つせず、眼に力を籠める。
体を引きその視軸の先に目を投じれば。その山肌には洞が穿たれており、その昏がりの奥には、蜷局を巻いた巨きな巨きな蟒蛇がいるのであった。
その蛇も、まんじりともせずに首を見詰めている。蛇と首との視線は中空でぶつかり合っており、その力は拮抗しているようだった。
なる程視軸を動かせぬ訳である。
首は蛇を目で封じている。
蛇は首に抗っている。
そう、見えた。
一本の細い弦が、切れんばかりに張り詰めているかのようであった。今にも切れそうだ。だがこの緊とした均衡が崩れれば。この弦が緩めばどうなるか。
「あれなる長虫は」

「あれなるは、吾が子にして妾を産むものである。妾が殺すものであり、吾を殺すものでもある。あれは、因にして果也」

「子細、承りましょう」

岩上の首は語り出した。

湿性の陰虫は静止している。

「妾は麓の庄の領主の媛として生を享け、十三年暮らした。一人子であった故、乳母日傘で育まれ、差し合いを覚えたことなどない。多くを奥の座敷に繋がれてはいたが、花を愛で月を望み、歌舞を愉しみ、書を読み歌を詠み、生を謳歌しておった。そうは云っても世知らずに贅を尽して生きておった訳ではない。下下にも篤くあれと云う父母の戒めを守り、慈悲深くあれと謂う仏の教えを守り、領主の娘たる自覚を以て日日を送っていたのである」

首は視軸を据えたまま、やや眼を細めた。

「あれは妾が十三になった年の啓蟄のこと。妾の閨に一人の男子が姿を顕した。それはそれは見目麗しき立派な身形の殿御であった。何処から入り込んだのかまるで判らなかったが、妾はそれを不思議とは思わなんだ。思えばその時既に妾は」

術に囚われておったのだと首は云った。

「魔性の者でございましたか」

「そんなものではない。魔は倫を往き行を成すを妨げるもの。邪は正心真理を蝕むもの。怪はただ驚動不安を呼び込むだけのもの。妾の許に顕れたるは、そのいずれにも非ず」

「されば、それなるは如何なるもの」

「ただ生きるのみのもの。生きるため、自が生を次世に繋ぐためだけに生きるもの」

けだもの。

それ以下のもの。

「忌忌しきこと。悍ましきこと。人ならぬものが人の姿を借り、妾を惑わしたのだ。男は毎夜現れ、妾はやがて情を交わすまでになった。そしてそれは家の者の知るところとなった。父は激怒し、行者を喚んで占を立てた。それは」

蛇だった。

「それでは」

違うと云って首は頬を攣らせた。

「その蛇は八百年の昔に死んだ。其方の足下に骸が横たわっておったわ。歳月を重ね風雨に曝されもう疾うの昔に塵芥と化し、何も残ってはおらぬ。残っておるとしても」

針だけじゃと首は云った。

「針とは」

「蛇は陰性のもの。金気を厭うもの。行者の進言に拠り、忍んで来る男の小袖に針を一本刺したのだ。蛇は手も足もない。その身に針が刺されば抜くことは叶わず、そこから腐って死ぬのじゃ。皮も身も腸も腐り果て、骨も崩れ、針一本を残して死ぬのじゃ。腐って」

腐ってのうと云うや、首は口許だけで激しく笑った。

足下に目を遣るも、針などは何処にも見えなかった。

「だが」

首は突然笑うのを止めた。

「その時、妾は妊っておったのだ」

「蛇の子を」

「蛇の子を、じゃ。父母も縁者も、誰も彼もが嘆き悲しみ、怒った。穢らわしいくちなわの子などは流してしまえと罵った。そして行者に依る子堕しの修法が執り行われたのだ。しかし」

妾は家を抜け出したと首は云う。

「何故に」

「蛇の胤であろうと鬼の胤であろうと、それは妾の子じゃ。妾の血肉を分け妾の腹の中で成ったものじゃ。どろどろと混じり合っているうちは妾そのものじゃ。父親が何であろうと関係はない。妾が産むのは妾の子。何が生まれて来ようとも妾の子じゃ」

「お産みになるおつもりでございましたか。しかし、それは化生のものの子ではございませぬかな」

「化け物であろうとけだものであろうと、仮令世に仇を為す鬼神であろうとも、生を享けたなら生まれて良いのだと、妾は思っておった。産み育てるが吾が宿世と、そう思い込んでおったのだ。何が生まれて来ようとも、慈しみ育むが母なるものと信じ切っておった。そう、妾は」

母になりたかったのじゃ。

首は見開いた眼から泪を溢す。八百年開き続けて尚乾かぬ眸は、この無常の泪が潤すものなのか。

「だから妾は、夜陰に紛れて屋敷を抜け出し、蛇の跡を追ったのだ。手負いの蛇は筋を付けて遁げた。その筋を追って」

野を抜け山を越え谷を渡り。
崖を登り川を泳ぎ岩を踏み。

「どろどろと腐ってのろのろと流れ落ちた蛇の筋を辿りに辿り、人跡未踏の深山幽谷に迷い込み、三年三月の歳月を費やし、そして此処で妾は、妾を誑かした蛇の死骸を見付けたのだ。蛇の體は腐り果て、蛇骨と、僅かな鱗が残るのみであった。その骸を眼にした途端、妾は初めて産気付いたのだ。骸の瘴気が染み入ったか山の霊気が誘ったか、臨月を遙かに超えても一向に膨れなかった腹が、むくむくと腫れ、帯が弾け着物が裂けた。そして」

妾は己が間違っていたことを悟った。

「間違いとは」

「蛇は卵生。妾もまた、卵を生むものかと思うておった。だが、それは違っていた。卵は」

妾自身であったのだ。

「蛇の子は、まるで卵の殻を割るかのように妾の肉を割り裂いた。妾の五体は弾けて引き裂かれ、首は飛んで、この岩の上に載った。ここに載って尚、妾は自が身に何が起きたのか解らずにいた。そして浅ましきことにその蛇は、吾が子は、妾の千切れた五体を、三年三月その生命を育んだ母の身体を、妾の目の前で、その場所で、貪り喰うたのだ」

首はこれ以上開かぬ程に眼を見開いた。

「鬼であっても蛇であろうとも産み育てようとしたこの妾を、母になろうとしたこの妾を、いいや、母であるこの妾の肉を、血を、骨を」

喰いおったのだ。

「妾はその時、死ぬのを止めた。あの子の腹の中で、どろどろとあの子と混じり合い、そしてあの子を孕ませた。あの蛇の血肉となった吾とあの蛇に喰われた吾とがあの子の中で塊となったのじゃ。爾来八百年、見よ、あの浅ましき虫の膨れ上がった胴を」

目を凝らす。

慥かに、蛇は蜷局を巻いているのではなく、醜く膨らんでいるのであった。

「妾の身体はあの蛇の腹の中で、八百年の間むくむくと育っておるのだ。どれだけ育ったとて産むことなど出来ぬ。蛇は卵しか生めぬ。卵生の虫が胎児を孕んでおるのだ。産める訳はないわ。永遠に産むことの出来ぬ胎児を、あの蛇めは妊っておるのじゃ」

首は乾いた声で高らかに哄笑した。

「ざまを見ろ。凡てを棄てて母にならんと欲したに、その妾を殺し喰うとは、如何に虫の身と雖も赦し難き所業じゃ。吾が子と雖も免じることなど永久に叶わぬわ。妾が生きている限り、生きて此処から見ている限り、あの蛇めは妾を孕み続けるのじゃ」

永遠に産めぬのにのう。

なる程。因にして果。産んだ者にして産む者ではあるだろう。

「妾が目を逸らせば、あの蛇めは即座にこの首を喰うであろう。さすれば妾は死ぬ。あの中に凝っておる妾も、溶け、あの子の滋養となり果てよう。だからあの蛇めも、この八百年妾から目を逸らさずに、こちらを窺っておるのだ」

そうか。首が殺そうとする者にして首を殺そうとする者でもあるのだ。

いや、しかし。

「御首様。子細は承った。然らば問う。御首様が死ぬのを止められたのは」

憾み故か。

「深く強い怨嗟悪念が、首だけの其方様を八百年も生かしておるのでございまするか」

そんなものが人を生かすか。

恨みなどないと首は云った。

「もう、どうでも良い。今更どうにも出来ぬのだ。どうにもならぬのだ。これは」

ただの執着。

そうか。

岩柱に手を掛け、攀じ登った。

「執着か」

首の耳許で囁く。

「ならばもう良いでしょう」

首は、女の首は、充血した眼の中の眸を。

視軸が。

刹那。

膨れた蟒蛇が跳び、女の首に喰い付いた。

腰に差した鉈を抜き蛇の鎌首を打ち落とす。

女の首を咥えた蛇の首はころころと転げた。

もう、何もない。

此処には何もない。

戻ろう。認めたくなかったから。だから葬ることもなく放置して来た、死んだ妻と、死んだ子の許へ。もう、いい。

私は山を下った。

（了）

くわれかけ體（2018）

死を抱く（2014）

くるった白鳥（2013）

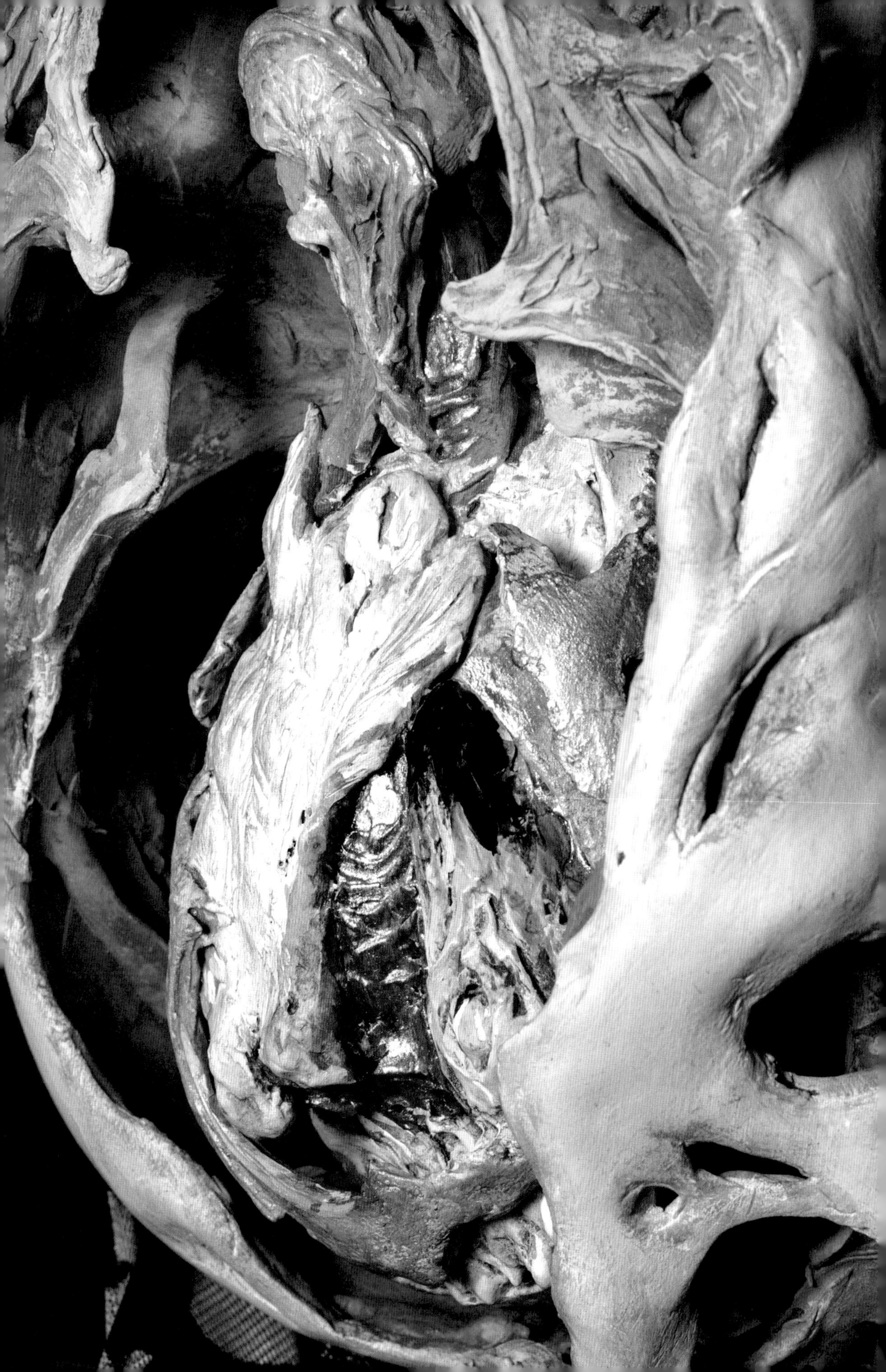

左心房動力源（2019）

右心房の善意（2019）

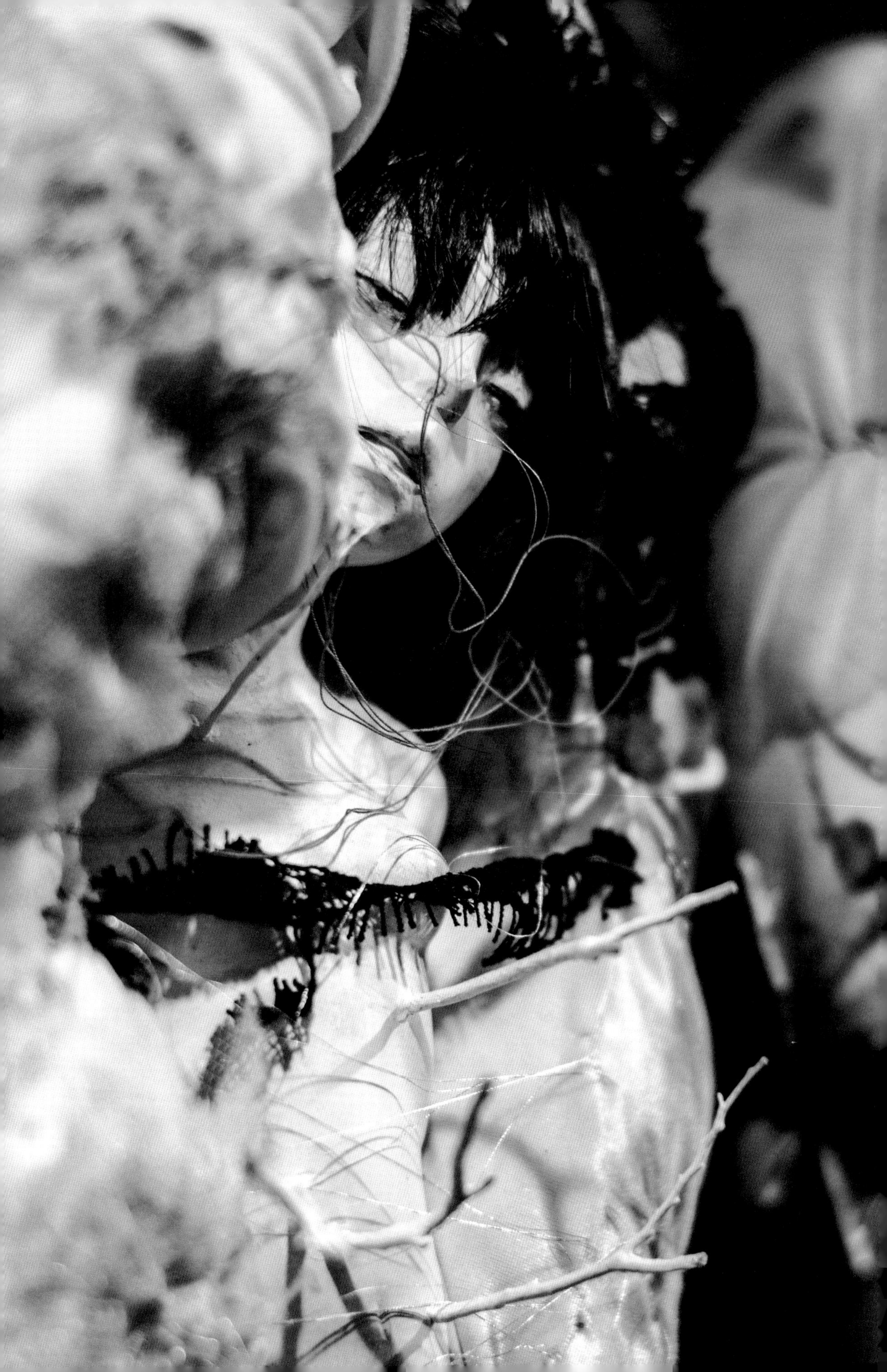

天使の晩餐

川奈まり子

父の書斎に忍び込むのは本を物色するためだったが、近頃、父の口癖をまねるなら、「おめあて」がひとつ増えた。

　壁を埋める黒ずんだ書棚に、ひとところだけ異質な一角がある。サントリーのV.S.O.P.と並べて、緑色をした江戸切子の脚つきグラスがひとつ置かれて、涼しげな光彩を放っているのだ。

　キリストが最後の晩餐のときに使った聖杯は、堕天使ルシファーの冠から落ちたエメラルドをくりぬいて作ったのだという。江戸切子は先月、父が向島の料亭で接待された折の引き出物で、神秘的な来歴が期待できるわけがなかったが、グラスをためつすがめつしながら空想を遊ばせるのは愉しかった。

　こっくりとした濃密な緑の面に刻みつけられた六角の籠目文はダビデの星をひそめ、両手で包み込めばひいやりと冷たく、掌に染み入るような重みも好ましい。

　芳醇な香りが残るグラスの縁に軽く唇をつけて喉を反らす。

　ふいに、寝床でしか嗅いだことのない男の皮脂が鼻先を掠めたと思うと、子宮が内から蹴りあげられた。

　今の匂いは、父の残り香だろうか。

　興を殺がれた想いがしてグラスを元に戻し、下腹をさすりながら書斎を出た。途端に、母が点けているテレビの音声が鼓膜に届いた。

《脈拍は九二。血圧は上が一二八の下が……》

　一昨日吐血されたという天皇陛下のご病態を、宮内庁の役人が読みあげている。ご高齢故、昭和も間もなく……という空気があり、昨日は雨降りだったにも拘わらず、街角で盛んに号外が配られていたようだ。

　今日は晴れた。西陽が差し込む廊下の蒸し暑さはガラス障子を開け放っていても九月下旬とは思えぬほどで、急ぎ足で居間に避難すると、扇風機の風に後れ毛をそよがせながら、母がソファで毛糸の編み物をしていた。

　目も合わせずにテレビを消すと、息を呑む気配が伝わってきた。

　毛糸は、燃えるように赤く、けばだっていた。

「よくそんな暑苦しいものを触る気になる」

「あかちゃんのおくるみを編もうと思って」

「ママから里親さんに贈るつもりなの」

「鞠子ちゃんも、育てたくなるかも……」

「死んでも厭。もう蒸し返さないで」

　胎児を切り刻みながら子宮から掻き出して、ゴミ同然の扱いで遺棄するのだと父から聞かされて、あまりの残酷さに怖気づき、そのうえ、

「わたしたちの子どもに、そんな惨い仕打ちはできないだろう？」

　と、涙ながらに訴えられて、堕ろすことを諦めたが、親になる気など、さらさらなかった。

「こんなにお腹が大きくなるなんて、悪夢よ。元の身体に戻らなかったら絶対に許さない」

　すでに臨月だ。いつ生まれてもおかしくない。

「凄くよく動くの。今日は特に、何か苦しんでるみたいに蹴ったり叩いたり。触ってみる？」

　傍に行くと、母は座ったまま右手を伸ばしてきた。若い頃は看護師をしていたという母の手つきは触診のニュアンスを自ずと帯びた。肉の薄い掌で、麻のワンピースの生地越しに、ざらり、ざらり、と、緩慢な動きで腹を撫でる。

「そんなもの作らないでよね」

　母は、おどおどと、みじめな微笑を浮かべて手を引っ込めた。黙って、編みかけのおくるみと毛糸玉を足もとの籐籠に押し込む。

「パパはいつ帰るの？」

「さあ……。週末だと思うけれど」

　今日は水曜日。あと二、三日は留守なのか。

　父は米国の州立大学で人文学部の客員教授を長く務めていたが、三年前から日本の私大で文学部英米文学科の教授をやっている。ちょうど天皇陛下が斃れた日から渡米して所属学会のシンポジウムに参加中だ。向こうへ行ったついでに、米国に残していた不動産の後始末をつけてくると、出立前日に話していた。

　東京にあるこの家に、一家三人で越してきたのは、父方の祖父が鬼籍に入った直後のことだった。祖母はすでに亡く、他にきょうだいもなかったことから、父が家を継ぐ運びになった。

　米国では州法で自宅学習が認められていたから、学校に通ったことはなかった。

　日本へ来てから、仕方なく公立中学に編入し

て卒業した。

学校は、懲り懲りだ。緊張の連続で、何よりも先に孤独を学んだ。秘密とは、相対的なものだと思う。此の世に独りきりなら、秘密は存在しえない。大勢の他人に囲まれるや、ただちに秘密が膨らんで、重く圧し掛かる。

父と父の蔵書から学んだ日本語とは異なる、同級生たちの言葉にも馴染めなかった。この一年、家に籠りっきりだが、何ら不都合はない。

家は平屋の日本家屋で、床を洋室風の板敷に張り替えても尚、米国育ちの目にはおもしろいものに映る。深い庇と広縁で陽射しから護られた屋内に陰影が凝り、そんな点も好みに適う。なので、滅多に外を出歩くことはない。

しかし翌日は、母に付き添われて、初めて近所の助産院を訪ねた。

たまには歩いたほうがいいと母が言うので、小雨のなか、傘を差して四半刻かけて行った。

助産師は元気そうな初老の女だった。ごく小さな助産院で、助手の姿も見当たらない。彼女によれば、産み月になって初めて検診を受ける人も近頃では珍しくないそうだ。

「あかちゃんの、お父さんは？」

この質問に答えたのは母だった。

「それが、バイクの事故で……」

母は嘘を吐いた。語尾を濁すところまで打ち合わせた通りだ。

一六という母体の年齢とバイク事故を手掛かりに、助産師は何かしら想像したようだ。

「あかちゃんのためにも、生まれ変わったつもりで、頑張りましょうね」

とんだ非行少女と見做さないと、「生まれ変わったつもりで」なんて台詞は出てこない。

それくらいは見当がつく。一昨年、母がテレビを買った。米国では父が周到に築いた文化的な無菌状態で暮らしていて世事に疎かったが、今やテレビのお陰でいろんなことを知っている。

父には面白くないようだが。

考えるに、父はもっと自信を持つべきなのだ。あれは一年以上前になるだろうか。東芝日曜劇場の『牡丹の庭』というテレビドラマを母と見ていたら、父に似た顔の役者が映った。

顔だけでなく、円かで深い、ベッドで睦言を囁くために作られたような声もそっくりだった。彼は、若い後添いを迎えた男という役を演じていた。先妻が遺した庭の牡丹を丹精している、神経質そうな男だ。後添いは牡丹を先妻の幽霊のように感じ、怯え、ついには憎悪するに至る。

……いつかわたしも父の後添いになり、母の亡霊に怯える立場につくのやも。

と、こう、助産院の帰り道に、縁起でもないことを考えていたら、雨降りだというのに、黒い蝶がふうっと前を過っていった。

不吉だ。

「産んだら、あそこに置いてこられるの？」

わかっている癖に母は「何を？」と訊き返した。

「あかちゃん。助産院に置いて帰れるよね？」

斜め前を歩いていた母の傘がくるりと回った。

「それは無理。おまえも少しは育てなければ」

声が嗤っていた。では、母も予感しているのか。親になれば、たぶん父の「おめあて」でいられなくなる、と。

不安の堰が切れて、突然、天地がひっくりかえった。次の瞬間、温かなアスファルトに片頬をつけて倒れ伏していた。膨らんだお腹が視界に入る。

その中で、ぎゅるんッと魚が暴れた。

ぎゅるりぎゅるりと廻転しながら出口を探しはじめる。

潮の匂いがにわかに鼻腔に満ちたかと思うと、ぬるい水が胃袋からせりあがってきて、溺れそうになった。

母の手で、タクシーの後部座席に乱暴に押し込まれたことは憶えているが、そこから先は記憶がふっつりと途切れている。

やがて水底から意識が浮きあがってきて、夢現にこんな会話を聞いた。

「玄関で産み落とされたと聞いて、飛んで参りましたが……残念です。胎児認知届と一緒に死産証書を役場へ出さなければなりません」

「そんなものが要りますか。娘の年齢も考慮して、融通をきかせてくださいませ。これをお納め願いたく存じます。何卒ご他言無用で……」

助産師と母の声だ。

そういうことか、と、おぼろげに理解した。

あかちゃんは、生まれながら無に帰したのだ。

「パパには知らせた？」

口がきけるようになるとすぐに、母に訊ねた。

「まだよ。さ、これを呑んで。痛み止めよ」
寝たまま、吸い飲みの水で錠剤を呑み下した。
次に質問することは決まっていた。
「あかちゃんは？」
「冷蔵庫にしまっておいたわ」
うっとりと答えた母の唇が紅く濡れていた。
助産師が帰った後にめかしこんだようで、よそいきの黒い羽二重のブラウスなど着て、どういうつもりなのか……。
　まだ訊きたいことがあったが、意識が閉じて昏くなり、抗しきれずに瞼を閉じた。
　目をつむる寸前に、母の後ろに父が悄然と佇んでいるのが見えた気がした。

　父の匂いに包まれながら覚醒して、今のは夢だったかと思えばそうではなかった。
　傍に父がいた。いつも食事をしている円卓がこの寝室に運び込まれており、そこへ、こちらに背を向けて着席しているパジャマ姿の父が。
　寝巻で食卓につく人ではない。深く頭を垂れ、がっくりと肩を落として、一体どうしたのか。
　そのとき、純白のテーブルクロスが敷かれた円卓を向こうから回り込んで、母が近づいてきた。
　真珠の首飾りが胸もとで弾んでいる。最前よりもさらに着飾って、祝宴の気を纏った母が、
「お目覚めね。薬がよく効いたこと。夕食の支度が出来ているから、こっちに座りなさい」
　と、腕を差し伸べてきた。そこで手を引かれてよろよろと立ちあがったものの、
「あらあら。大丈夫？」
　円卓の上を見て、頽れてしまった。
　中央にカッティングボードが置かれ、そこに無花果や梨といった季節の果実や野菜と一緒に、真っ白なあかちゃんが盛りつけられていた。
　乱暴に、母に引き起こされた。何を呑まされたのだろう……まだ四肢が重く、動作がままならない。強引に椅子に座らされてしまった。
　父の斜向かいの席だった。だらりと垂れさがった萎んだ男根のような舌から、目を背けた。
　母の晩餐のしつらえには、ぬかりがなかった。
　卓の隅で、肉切り包丁と鋭いカービングフォークが冷酷な輝きを放ち。三人分の銀のカトラリーとグラスも清らかに磨きあげられ。メインディッシュの首には、真紅のリボンが結ばれて。
　そして、あの江戸切子の杯と父のV.S.O.P.のデキャンタも用意されていた。
「パパのお酒、食前酒には重すぎるけど、美味しいわよ。鞠子ちゃんも飲んでみたい？」
　エメラルド色のグラスにブランデーがなみなみと注がれた。すでに母は酔っているようだ。
「さあ、どうぞ」
　目の前にトン、と置かれた。緑の杯に琥珀色の液体が重なって生まれた夜の底に、六芒星が揺らいでいた。
　母が黙ると、雨音が微かに聞こえてきた。黒い蝶を見たことを思い出した。ひらひらと忙しなく、母が円卓の周りを飛びまわる。水をグラスに注ぎ、野菜を取り分け、メインディッシュに巻きつけられたリボンをほどき、
「これの下処理の方がパパより大変だった。パパは眠らせて首を絞めたの。だって皆で一緒に育てようなんて言うんだもの。なぜわたしまで？　パパが鞠子ちゃんを好きすぎるから、我慢してたのに。……死産で幸いだったわ。おまえが自分で食べてしまえば、あんたたちの罪は、最初から無かったことに……」
　カービングフォークを探して、母は「あらっ」と声をあげた。肉切り包丁も見当たらず、うろたえて、こちらを向く。
　すかさず立ちあがり、逆手に持ったカービングフォークで喉を突き刺した。逆襲する隙を与えず、顔面めがけて肉切り包丁を振りおろす。好運にも刃先が正確に左目を捉えた。眼球を飛び出させながら深々と眼窩を貫き、しっかりと柄を押し込む。
　必死でやり遂げたけれど、薬が体に残っていたと見え、母を斃すや再び睡魔に襲われた。
　翌日、体力が回復したわたしは、家族の晩餐を完成させることにした。
　あかちゃんは男の子で、すでに血抜きされていた。米国で買ったレシピ本を参考に、鶏を解体する手順に倣って、まずは首を落とす。次に腿、手羽、胸肉、お尻の順で切り分けて、塩胡椒を揉みこみ、まんべんなくバターを塗りつけたら、二〇〇度のオーブンでこんがりと焼く。
　母と食卓を整え、美味しそうに見えた心臓は、生のままブランデーの杯に放り込んだ。

　では、いただきます。

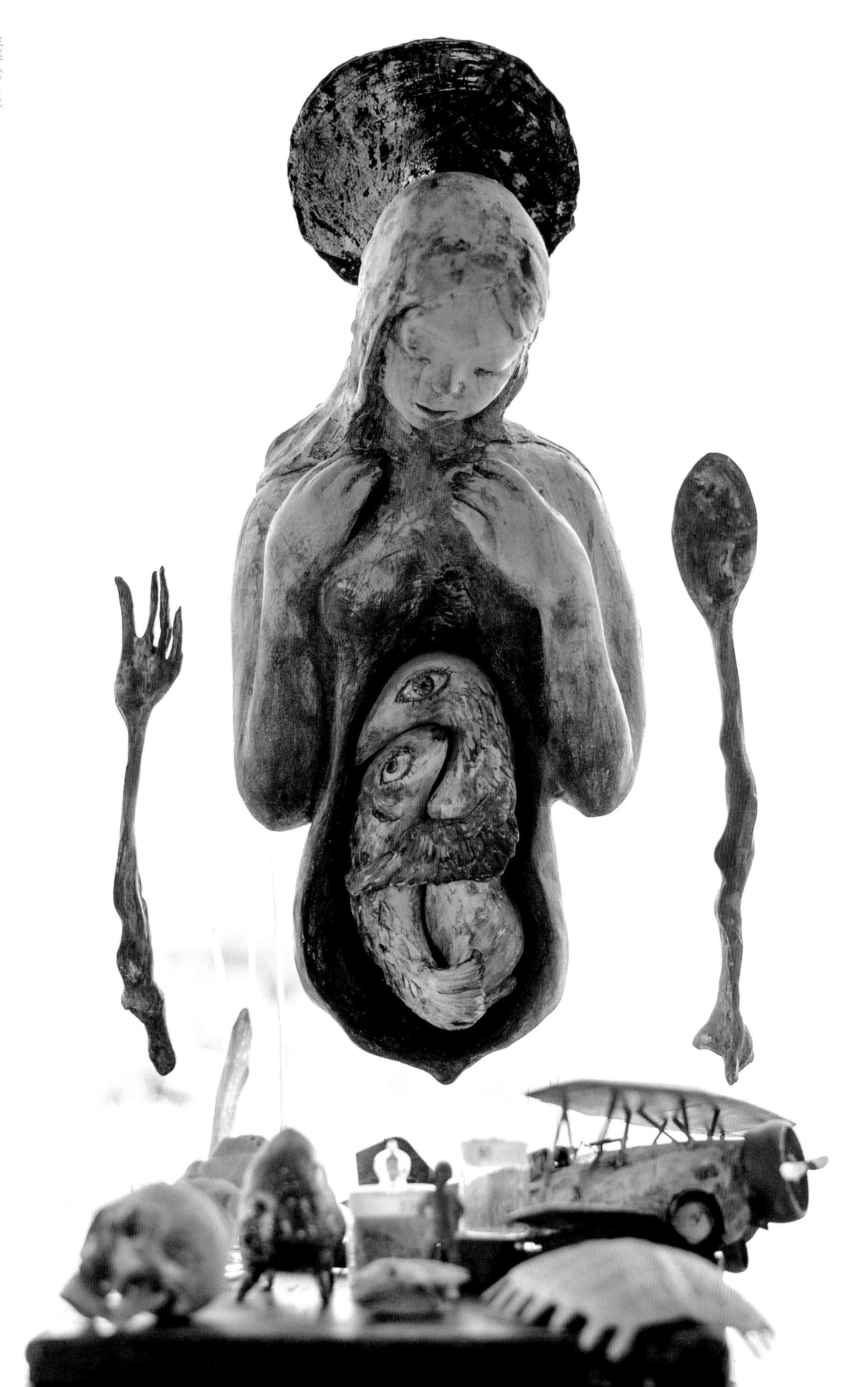

主菜（2019）

門（2015）

しんわ
伝説　神話あるいは侵環

花中（2019）

地獄太夫 (2017)

モイラの花（2013）

の好きでならない常吉の、胡桃を
らない程、愛してゐて、その愛の苦し
モイラが唇の端に淫みを湛へた、
るのか？　意地悪の自分を怒るのか？
の面持を潜めて、何か言ひに来たのも
林作もみてゐるやうに、
顔をして、ヨオクに切り替への
格子縞（チェック）だったりする普段着の下に、
イラの、全体の姿の中には未だ未熟な
たりと張りついてゐるのは、未だ子
児のやうに怯えて、父親か兄貴に、
まるで忘れ去ってゐるモイラの、
可哀らしさを覚えるのだ。常吉はそ
モイラの胸の中には、ピータアて
のは、モイラは、もう一度、ピー
舐めて見たい願望を潜めてゐるの
もう一度、ピータアの部屋

少女病

黒 史郎

　原住民から買った錆びだらけのピックアップトラックを鞭打ち、乾いた荒野に轍を刻むこと六時間強。ようやく私たちは目的の場所に着いた――というと聞こえはいいが、実際のところはエンジンが煙を吹いて、たった一度の労働でその生涯を終えたのだ。度重なる延命処置の痕跡が目立つ死にかけの車だった。荒野のど真ん中に放り出されなかっただけでも感謝すべきだろう。

　ダッシュボードから煮しめたような色の布切れを取り出し、そこに描かれた地図を目でなぞる。なぞる線は一本。一本道の地図だ。地図の意味がない。これも彼らから買ったもので、《眠る場所》への道筋が描かれているらしい。古い時代のものだと売り込まれたが、泥染めで古く見せているのは素人目にも明らかで、観光客に売りつける土産物程度の価値しかないのもわかっていた。これから私たちは彼らの聖域に踏み込む。その詫びの先払いだと思えば安いものだ。

　トラックを降りた瞬間から、太陽が容赦なく肌を焼きにかかる。地面に落ちている蜥蜴のミイラを、目の前で屍喰らいが持ち去った。こうなる前にと私たちはジャングルの中に逃げ込んだ。この奥に《眠る場所》がある。そこは原住民が楽園と謳う秘された地ではあるが、彼らはその地図を誰にでも売るし、同行はしないが積極的に道案内もしてくれる。そこへ向かう者を止めも拒絶もしない。忠告もなし。きっと彼らにとって、聖域をよそ者が踏み荒らすことより、今日明日の飯のほうが大事なことなのだ。

　野生の花々に私たちは導かれる。ブーゲンビリアやジャカランダの色彩に溺れ、Skittlesのキャンディのような漿果の甘い匂いに酔いながら。幻想的な森は、私たちに少しも疲れを与えない。困難な道も危険な獣も遮るものもない。リズミカルに隆起する道を私は跳ねるように歩く。まるで夢の中を往くようだ。

　私はおとなげなく心躍っており、同行者への気遣いを忘れていたことに気づく。

「退屈はしていないか？　シャノオ」

「ええ。わたし、たのしいわ」

　私は反省した。これが二人の旅だということを忘れてはならない。

　私たちは《少女》の化石を探しに来た。

　少女――それは人類にとって最大の謎とされている。少女研究の権威ガスター・J・ジェイコブの「理想郷の最後の少女 *La dernière fille dans l'utopie*」は、私の知る限りでは、もっとも少女の謎に迫った論文だが、この論文でジェイコブが出した結論は「わからない」だった。新発見の報告や見事な考察で読み手を唸らせながらも、すべてはその「わからない」に繋げられていた。そんな彼をだれも笑えない。研究者として真摯な態度を見せた彼は、賛辞の拍手を贈られるべきだ。世界中の研究者が「わからない」のだ。人類は少女のことをなにもわかっていない。姿も化石でしか知らない。かつてこの星には少女たちがいたということがわかっているだけだ。いや、これはこれで誤解を招く言い方になる。

　人類が歴史を編むより遥か遠い昔、この星には少女しかいなかった。それ以外には土と空気と水があるだけで、ほかの生き物もいない。それはつまり、少女たちはいなかったともいえる。少女しかいないのなら、少女という概念もなかったはずだからだ。現在、我々の使う少女という言葉は性を特定する。また、その言葉はおおよその年齢を区分する。つまり、定められた性の一定期間の呼称として我々は少女という言葉を使っている。しかし、少女しかいなかった時代には選べる性などなく、年齢で呼び分ける必要もない。雌雄の概念もなく、老いのない不変の生を持っているのなら、少女などという概念も生まれていなかったはずだ。

　夢の世界の時間は短かった。愉しげなジャングルの色彩は次第に濃くなり、毒々しさを帯びていく。草花や木々の形状が悪夢的に歪みだし、鬣を逆立てて吠えるようにこちらを威嚇してくる。巨大生物の口の中のような湿度が立ち込め、油断ならない気配を孕む世界へと変わる。足元にはどす黒い水溜まりが増えた。霧がかった沼沢地に踏み込む。粘度の高い泥に長靴の底を吸いつかれ、なかなか先へ進めない。

「ねぇ。少女って、どんな姿をしているのかしら？」

「こんな時に、この世でもっとも難しい質問をするんだな」
　見つかっている化石だけでは、少女の全貌はわからない。足りないのだ。状態の良い化石の発見は石灰、珪素、鉄分の多い場所に限られる。多くは石灰岩の裂け目、堆積土に満ちた洞窟の中。これまで、同条件の場所で見つかった少女の化石はたったの三つ。いずれも断片であり、それぞれに名前がついている。首から上だけの化石は《頭部像》それよりもわずかに小さい《小頭部像》、テステティーネとともに発見された頭部のない胸部《小トルソ》。これらの呼称からわかるように、少女の胸より下の部分は見つかっていない。ここまで見つからない理由は、地震やプレート移動で土壌圏の層が破壊されて土中に散らばったという説が有力だが、どうもそれだけではない。かつて密林に住んでいた小部族が、少女の化石を呪具として使っていた痕跡が壁画に残されていた。おそらく、他の大陸からの侵略者が略奪し、闇市場に流したのだろう。鼻に脂を溜めた資産家たちのコレクションにされたのなら絶望的だ。
「答えられないのね」
「その答えを探しに、ここまで来たんだ」
《眠る場所》には、少女が完全な状態で眠っている可能性が高い。完全でなくとも、極めて完全に近い化石が見つかると私は信じている。この密林では過去に、少女の化石でもっとも美しいとされるテステが見つかっている。新たな少女が見つからずとも、テステの身体が見つかることは大いに考えられる。希望はあるのだ。
「難しく考えずに、少女は人の姿だった、それではいけないの？」
「君は……少女が私と同じ姿をしていると考えたいのか？」
「だって、少女は人類の祖先なんでしょう？」
「そうともいわれているが、そうともいえない」
「なぞなぞみたい」
「なぞなぞだよ。そうとうに意地悪な。なにせ、胸から下の化石がないんだ。未知動物学の権威には、胸から下は小型の鰭竜目のようなものだと考える者もいる」
「少女は怪物じゃないわ」
「わかってる。彼らは研究者だが、発想が芸術家寄りなのさ。ギリシャ神話の怪物のような姿を想像したいんだよ。自著の表紙にエンボスでグリフィンを入れたがる輩さ」
　十七世紀に発した《女神の創造》の影響だろう。少女の胸より下を想像する芸術運動だ。絵画、彫像、詩で思い思いの少女を創る。こうして少女に憑かれた芸術家たちは、自分の創造した少女像を永遠の伴侶とし、自ら命を絶つ。《少女病》と呼ばれて、今も社会問題になっている。ちなみに私はいまだ、少女「らしい」作品とは出会えていない。
「あなたは少女を見つけて、どうするの？」
「古書店で見つけた稀覯本と同じさ」
　夢中になって、読む。化石は〝読む〟ものだ。そこに刻まれているのは、オングストローム単位の微視の記録。私はこれを「最古の診療録」と呼んでいる。そこには、その個体がこれまで経験した病、怪我、死の記録がある。手術跡や歯の治療痕から、その時代の医療技術が見て取れる。私のような古病理学を研究する人間とって化石は、どんな医学書よりも学べることが多い。それゆえ、化石にとり憑かれてしまう同輩もいる。北京協和医学院解剖学教授D・ブラックは、北京原人の頭骨の研究に没頭した。ある朝、教授は頭骨を手にしたまま机で死亡しているのを発見された。彼は心臓病を患っていたが、私からすれば古代の死者にとり憑かれたのだ。悔しいくらいに見事な最期ではないか。
　視界が開け、太い河が現れた。マングローブが生い茂り、コーヒー牛乳色の川面を魚が跳ねている。河を渡る手段はなく、河に沿ってマングローブの中を進む。樹上から褐色の縄がいくつも落ちてくる。ブラックマンバ。毒蛇だ。囓まれている場合ではない。私たちはマンバの雨を駆け抜けた。見たことのない鳥が木から木へと渡り飛んでいる。赤や緑や黒や黄や橙と羽の色が煩い。そういえば、村でこんな色の木像をいくつも見た。この派手な鳥はトーテムとして村で信仰されているのかもしれない。茶色い川面が大きく隆起し、激しい水音を弾かせる。その音に森が波立ち、鳥の群れが空に吐き出される。河から焦げた色のカバが顔をだし、鼻から飛沫を上げた。軍艦が航跡をたなびかせるように、悠々と巨獣が往く。
　次第に傷ついた生き物を見るようになった。嘴の折れたサイチョウが虫の息で木の根元にうずくまる。片脚をもがれたサルが私たちを威嚇する。破れた横腹から骨をのぞかせる蛇が、身をよじって群がるアリを払い落とす。私たちが行く道は、死にかけばかりになった。死にかけの道。まるで野戦病院だ。空を見ると屍喰らいどもの影が旋回している。

死の際で溺れる動物を横目に私たちは往く。しばらくすると、死にかけの中に死んだ動物が混じりだす。私たちは往く。すると今度は死にかけより死んだ動物が多くなっていき、気がつくと亡骸の連なる骸の道を歩いている。どの亡骸も死にたてで新しく、毛皮に包まれ、肉がついている。亡骸は腐敗を待たず、厖大な数の虫と菌によって分解される運命だ。しばらくのあいだ、分解待ちの亡骸が続き、やがて骨の道に変わる。死後の肉体の連続的な変化。死のグラデーションだ。散らばる陶片のような骨を音を立て踏みしだきながら、厚底のブーツで来て正解だったと思う。骨を持たない生き物は、ここに翅や皮や触角を残している。倒木も目立つ。枯れた草花は骨にへばりついている。ここでは動物も植物も、分け隔てない平等な死がある。

六時間ほど歩いている。空が紫色だ。空の奥に夜がいる。ほどなく、膝を抱く子供のような形の岩が現れ、ぎょっとする。普通ではない岩だ。太古の岩かもしれない。同じような岩質の岩が増えだす。気が遠くなるような時間をかけて、密林の地下深くから太古の岩が迫り出してくる、そんな光景を私は早送りの映像のように想像した。そうこうしているあいだに洞窟の口が現れた。そういう冒険も想定内だったので準備はしている。洞窟内は涼しかった。ランタンの灯芯にとり憑く火が、濡れたような光沢を帯びる鍾乳石をオレンジ色に染める。壁を這う白い蜈蚣が泡を食って逃げていった。生まれて初めて知る光を恐れたのだ。

崩落があったのか、行く手に大岩が積まれて山となり、道を塞いでいる。あきらめるにはまだ早い。崩れた岩の上が、わずかにあいている。そこから洞窟の奥へ行けるもしれない。

「確認をしてくる。ここにいなさい」

私はシャノオをそこにおいて、一人で崩れた岩を這い上り、頂きまで行く。向こうへは行けないとわかった。岩の壁が塞いでいる。崩落でふさがったのではなく、もともと短く浅い洞窟だったようだ。崩れた岩から降りると、シャノオを連れて岩山の上に戻った。奥に見える岩の壁に私はランタンの火を近づける。生肉の脂のように白い岩の壁。その中に、いる。

少女が。

洞窟の最奥の岩壁の中に。何らかの理由で岸壁に亀裂が入り、そこから滑動したのか。きれいにカットされたような平面の壁面に、巨人のスプーンですくったような楕円の穴がある。そこにカブトムシの幼虫のような、白く透けた裸の少女が身を丸めて納まっている。胸部の微かな膨らみ、砂丘のような滑らかな起伏。少女だ。首はない。いいのだ、それで。首はなくても問題ない。むしろ、それが素晴らしい。おそらくこれは、テステの身体なのだ。腕がある。胸がある。そしてなにより、胸より下の部分がある。ほぼ完全な少女の化石ではないか。

これはなにかとシャノオが聞いてきた。

「ウイルスだよ、といっても、これは私が長年固執している自説だがね」

ウイルスはつねに、自分たちの遺伝子を未来に繋ぐための〝思考〟をする。少女たちもそうだったはずだ。悠久の時を思考し、種を存続させるには強き種に宿り、その庇護を受ける必要があるという考えに至った。かくして、未だ見ぬ種からの寵愛を受けるため、ウイルスは変容を繰り返した。やがて、微視の世界を超越し、我々が少女と呼ぶこの形を得る。しかし、少女は地球上に蔓延らず、なにも侵さず、なにも害することなく静かに滅んだ。いや、はたして滅んだといえるのか？　少女の幻像に憑かれた者は数知れない。世界中の芸術家や研究者が、少女の全身像を想像しながら今この時も壊れている。

「あなたは、少女と一緒にいくのね……ああ、シャノオ、君とはここで、さよならだ」

私は一人になる。いや、もとから私は一人だった。もうシャノオを演じる必要はない。今までシャノオと呼んでいたものを、岩壁の穴にそっと入れる。ぴったりだ。この身体はやはり、テステのものだったのだ。よかったね、テステ。応えるように、閉じている少女の瞼が永遠の呪縛から解かれる。アクアマリンの瞳が潤みを帯び、私を見つめてくる。その瞳に映る老人がほほ笑む。少女に時を奪われた男が。彼はもちろん、少女病に罹っている。

ハイカン（2016）

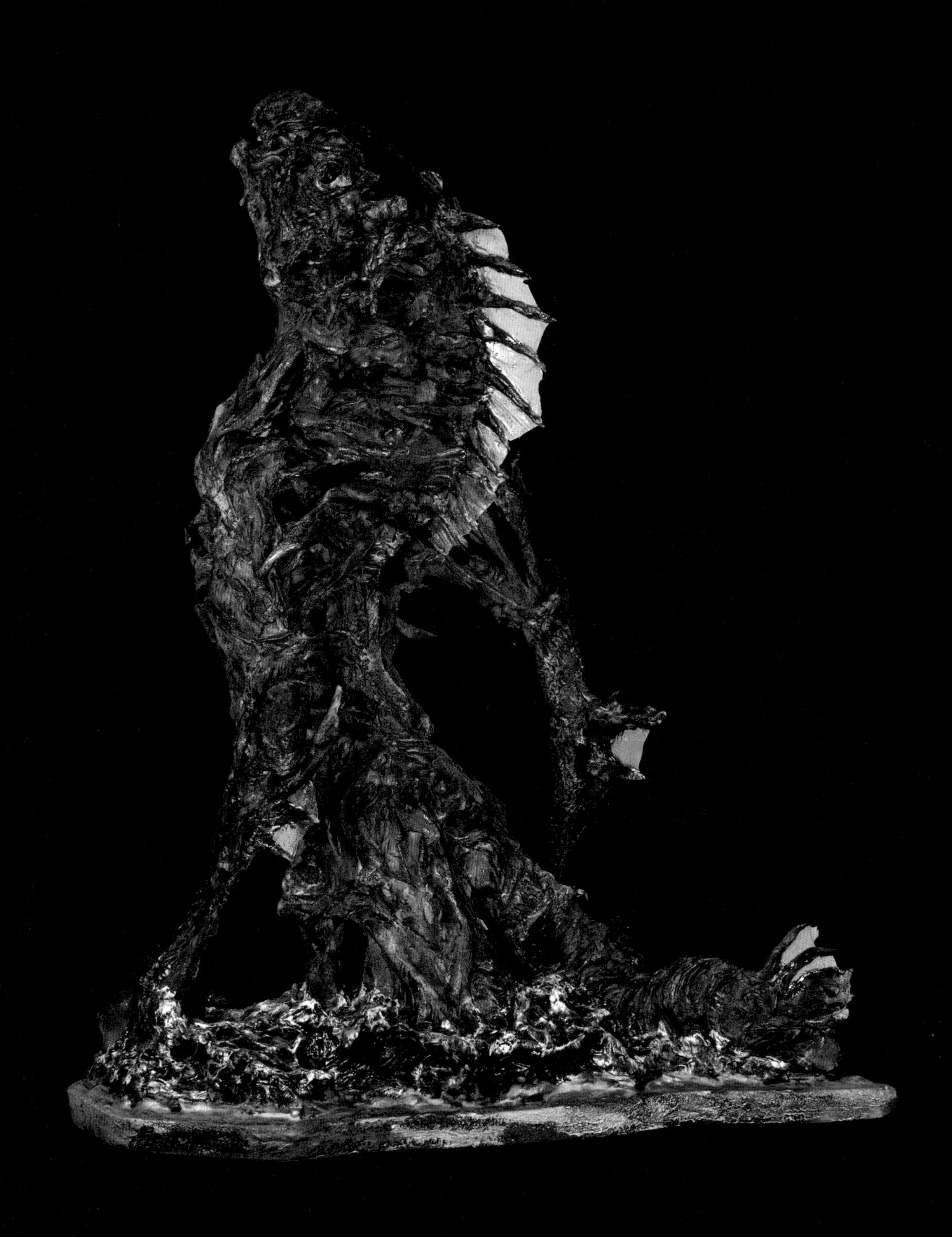

ダカン (2016)

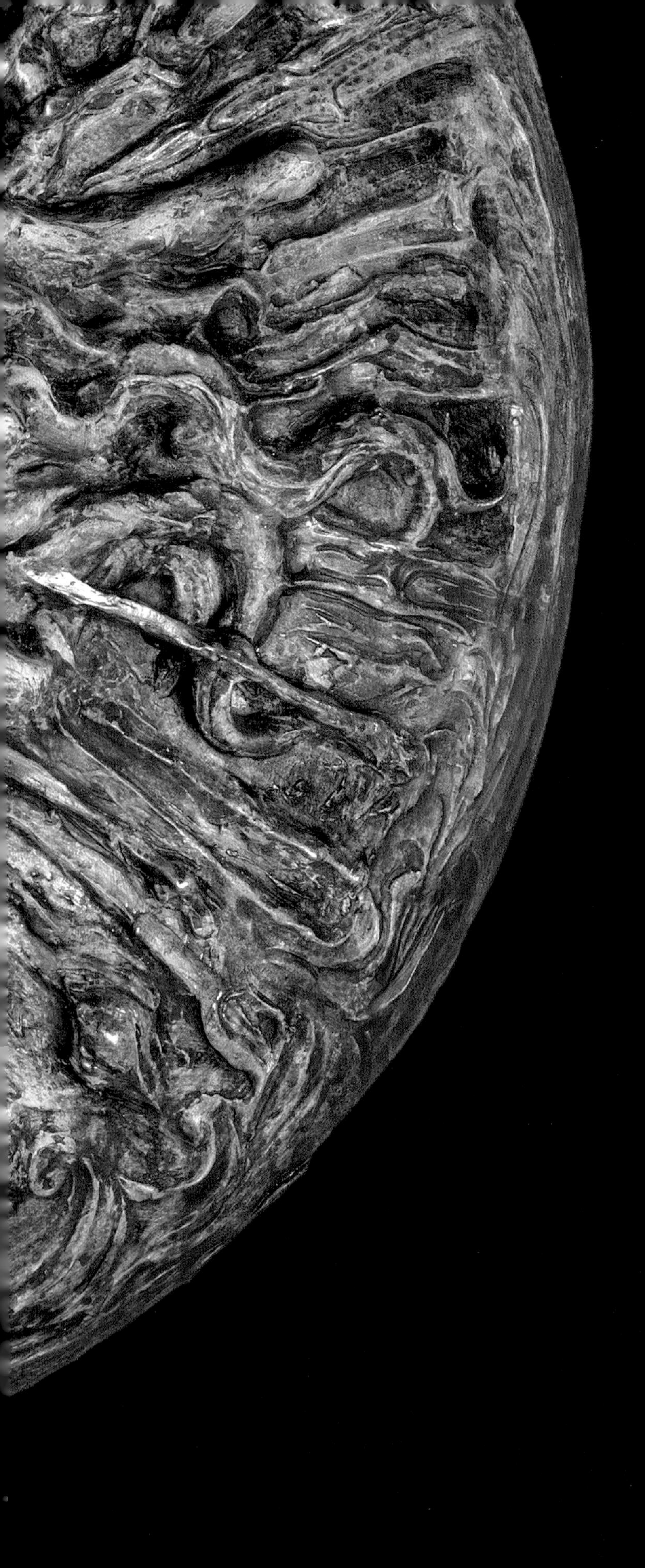

イージスの盾（2012）

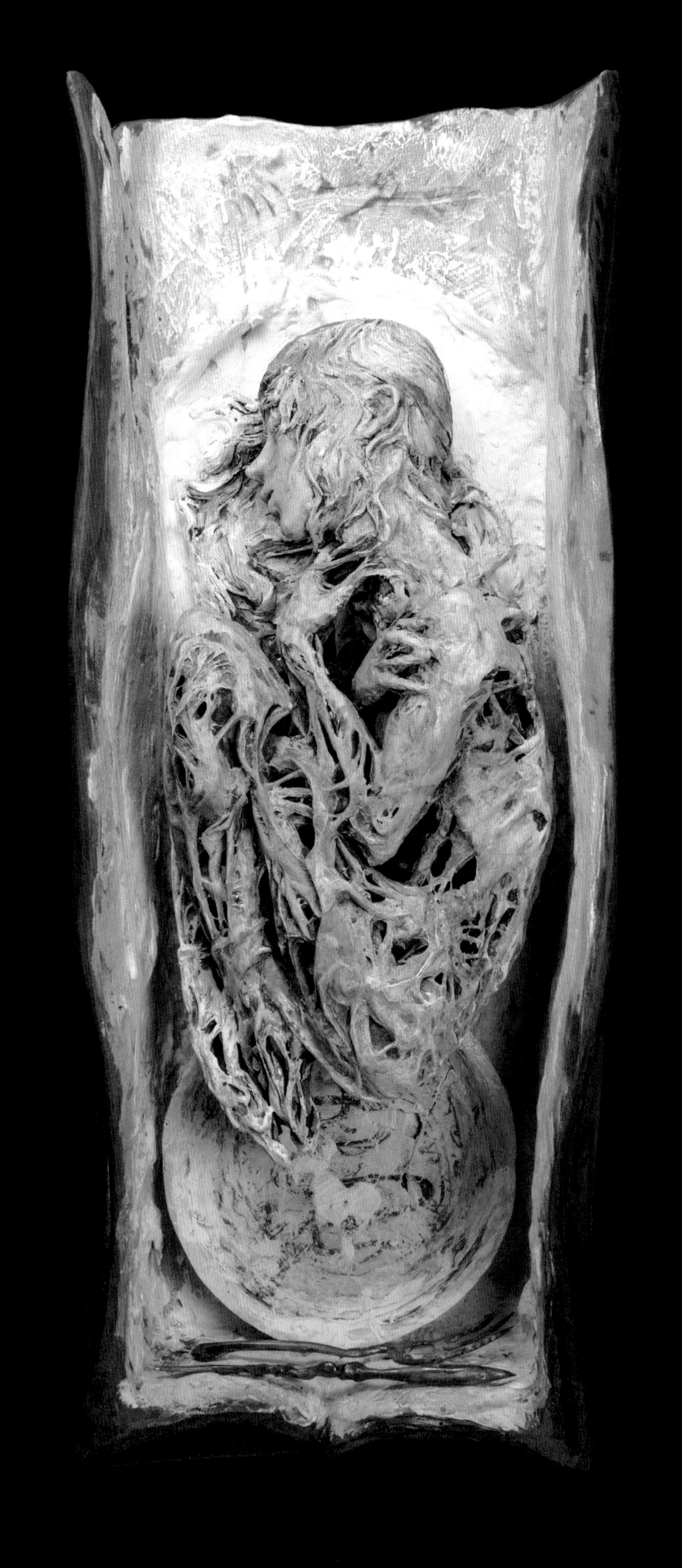

化石少女（2012）

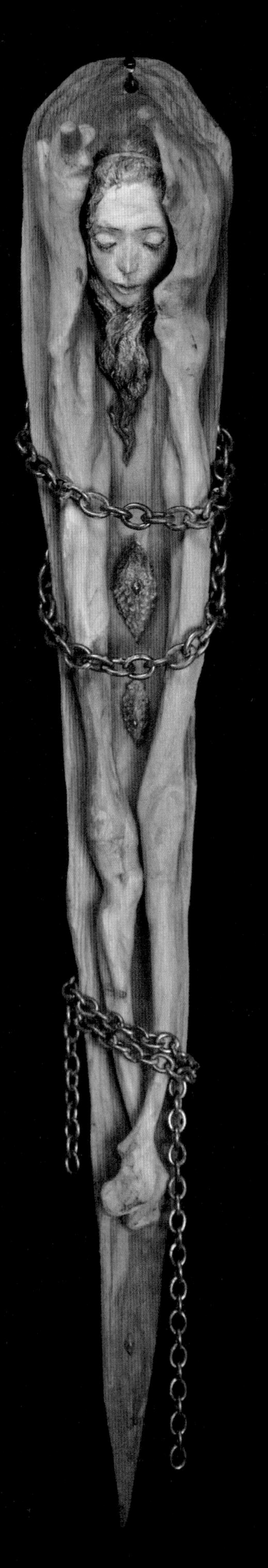

アンドロメダとクジラ（2012）

アメンボウヤ（2017）

翼の右手（2012）

二管女（2018）

海にねむる（2018）

海の遺物（2013）

井戸端（2015）

河原の鬼（2014）

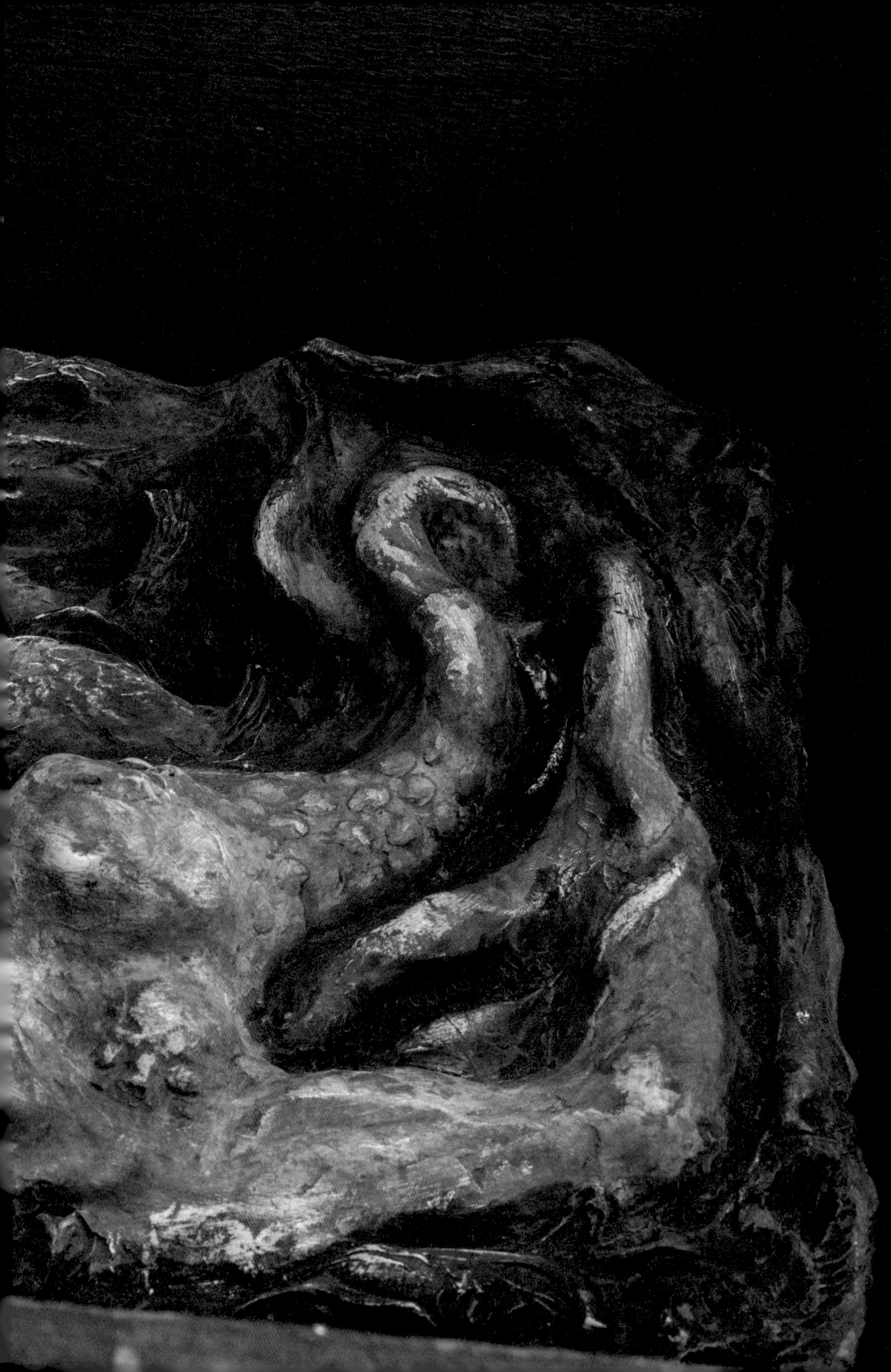

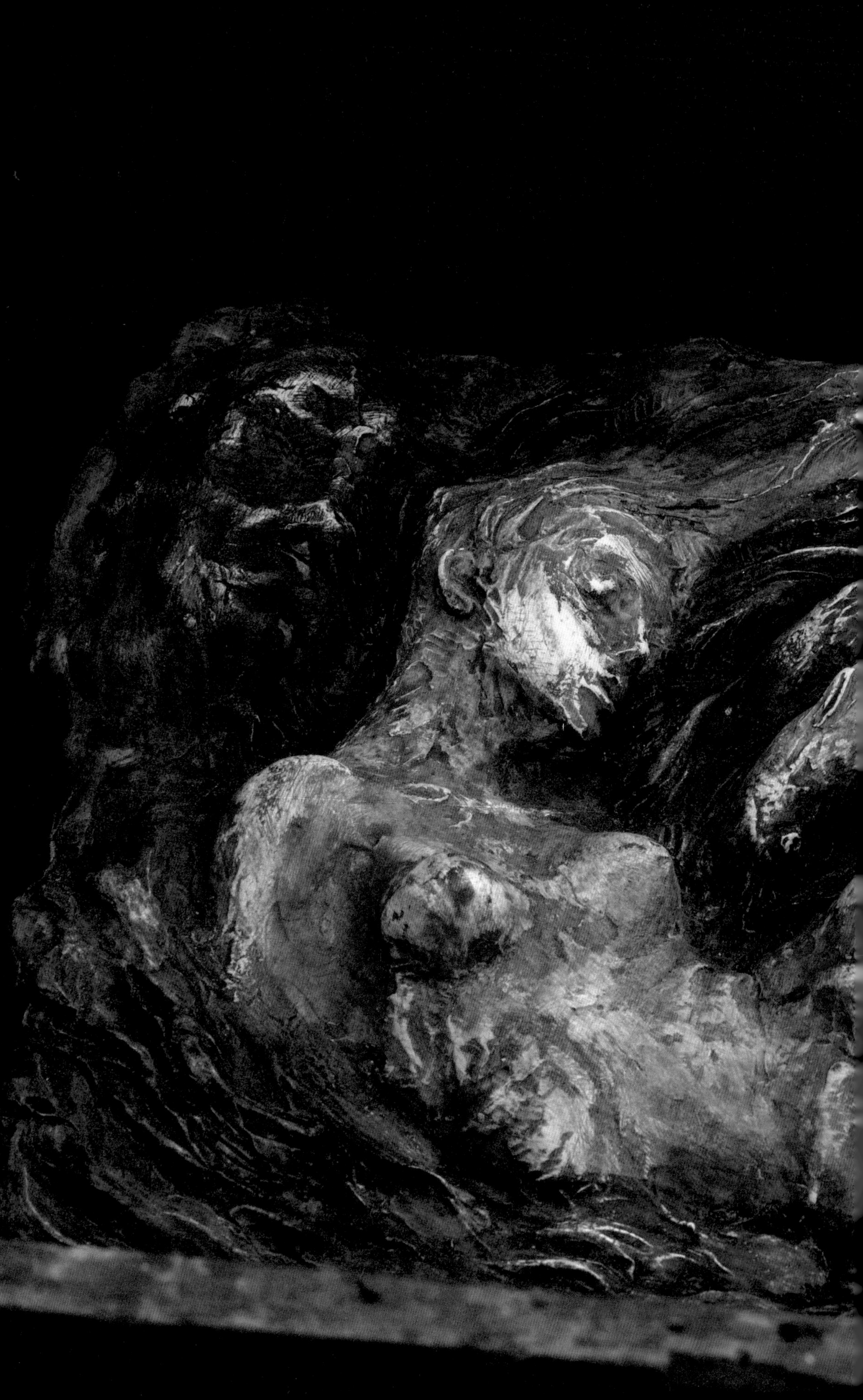

りょうおうたより (2016)

ぐにゃり人形（2019）

お瑕疵(かし)なおうち

最東対地

7月1日　水曜日

今日はお引っこしでした。わたしはしおじり市からまつ本市のこの新しいお家に来ました。ママが記ねんに日記をつけなさいって言ったので今日からつけます。

7月2日　木曜日

新しいお家はマンションです。前のお家はだん地だったので大きいだん地になりました。ママは駅から遠いのがイヤだと言っていました。わたしは道路がきれいだったのでうれしいです。

7月3日　金曜日

ママが「マンションはだん地とはちがう」って言いました。ちがうところを聞いたけれどよくわかりませんでした。口の中が切れました。

7月4日　土曜日

今日は家ぞくをしょうかいします。ママとお父さんとチコとかっちゃんです。ママはおこるとこわいです。お父さんはやさしいです。チコは前からかっているインコです。いっぱい話すとことばをおぼえるのでかしこいです。かっちゃんは赤ちゃんなのでチコよりもバカです。

7月5日　日曜日

今日はうれしいことがありました。お父さんがイオンで黒いかみの毛のお人形を買ってくれたのです。女の子の人形です。うれしくて名前をつけました。名前はナナちゃんです。わたしの名前ににているほうがよかったのでナナちゃんにしました。今日からナナちゃんがわたしの友達です。

7月6日　月曜日

新しい学校に行きました。自こしょうかいの時、とてもきんちょうしました。でも木村(きむら)さんという子が話しかけてくれてうれしかったです。きゅう食にピーマンが入っていていやだった。

7月7日　火曜日

毎日、家にかえるとママがいます。前にすんでいたところではスーパーではたらいていました。でも、かっちゃんが生まれて家にいるようになりました。かっちゃんはすぐに泣くのでうるさいです。ママがおこるともっとなきます。すごくいたいのだと思います。わたしはナナちゃんとあそびました。

7月8日　水曜日

ママとお父さんがきのうの夜、けんかをしてこわかった。かっちゃんがないて、ママもなきました。わたしはこわくてふとんの中でなきました。前にこのお家でへんしんじけんがあったみたいです。なににへんしんしたのか気になりました。

7月9日　木曜日

このお家に引っこしてきて一週間がたちました。お父さんとママはまだおこっているみたいでしゃべりません。でもそこでチコが「ブサイク、ブサイク」と言ったので、みんなわらいました。お父さんがいない時、ママはいつもわたしをそう呼びます。お父さんは知らないのでわらったみたいです。

7月10日　金曜日

先生がいきなり「いまからかえりなさい。お父さんがむかえに来ているから」って言ってびっくりした。みんながいいなー、って言ったら先生はすごくおこりました。わたしは意味がわからなくて、外に出たらお父さんがいた。お仕事は？　ってきいたのにむしされてかなしかったです。

7月11日　土曜日

きのうの夜はママをむかえに行きました。おまわりさんがあそんでくれました。

7月12日　日曜日

ママはきのうからひと言もしゃべりません。ナナちゃんの足がとれてかなしかった。いつもはあらいものとかおそうじはママがやるのに今日はお父さんがやっていました。すごくヘタクソでした。お父さんが買ってきたおにぎりを食べました。

7月13日　月曜日

金曜日に早く帰ったので学校がひさしぶりな気分でした。学校に行くと先生がわたしを見て何度も「大じょうぶ？」ってきいてきました。きゅう食の時、木村さんがヨーグルトをくれました。理由をきいてもおしえてくれませんでした。ヨーグルトはおいしかったです。

7月14日　火曜日

ママのようすがへんです。だれもいないのにずっとぶつぶつ言っています。おこられないようにこっそりとナナちゃんとあそびました。だけどママはとつぜん、「つかまりたくない」と言ってスマホをなげました。耳に当たって、いたくてなきました。お母さん、助けて。

7月15日　水曜日

お父さんが早く帰ってくるようになりました。いつもはわたしがおふろに入るくらいの時間にかえってくるのに、くらくなる前に帰ってきます。お父さんが早く帰ってくると、前のお家にいる時みたいでうれしいです。

7月16日　木曜日

チコが新しいことばをしゃべっています。でもどういう意味かよくわかりません。ママはとつぜんさけぶとおふろ場にとじこもってしまいました。夜ごはんがなかったのでチコのエサを食べてみました。まずかったです。

7月17日　金曜日

学校から帰ってくるとママが「おはかまいりにいこう」と言いました。二年前におばあちゃんがしんだのでそれかなあ、と思いました。でもママはちがうと言ったのでわたしはききました。ママは「かっちゃんのおはかだよ」と言いました。なんだかママがこわかったのでわたしは「行かない」と言いました。

7月18日　土曜日

きのうはすごくこわかった。何回もピンポンがなったけど出ませんでした。お父さんが帰ってきたらわたしがひとりだったのでびっくりしていました。お父さんはすぐにけいさつに電話をしました。

7月19日　日曜日

ママは帰ってきませんでした。

7月20日　月曜日

先生が心ぱいそうな顔でわたしにまた「大じょうぶ?」って聞きました。わたしは元気だったので「大じょうぶ」と言いました。

わたしは大じょうぶです。

7月21日　火曜日

チコが「かっちゃんうるさい、だまれ」としゃべるようになりました。お父さんがきいたらかなしい気分になると思って、まどからチコをにがしました。

7月22日　水曜日

チコがいなくなっておこられると思っていたけど、大じょうぶでした。

わたしは、大じょうぶです。

7月23日　木曜日

今日は学校で絵をかきました。テーマは「人をかいてみよう」でした。みんなはとなりどうしの人をかきました。先生はだれをかいてもいいと言われたのでわたしはかっちゃんをかきました。うまくかけたのでほめられると思ったのに、先生はなにも言いませんでした。お昼になぜかお父さんがむかえに来たので帰りました。

7月24日　金曜日

お父さんはおひげがぼーぼーになっています。そういえばこないだからお仕事をお休みしているみたいです。わたしも今日は学校を休みました。お父さんに「行かなくていい」と言われたからです。学校に行きたかったけど、お父さんがひさしぶりにあそんでくれたのでうれしかった。でもすごく苦しかったのに、やめてくれなかったのがいやだった。

7月25日　日曜日

おもしろいことをはっ見しました。タンスやベランダのまどをたたいて大きな音を出すとチコが「ブサイク、ブサイク」と言いながらもどってきます。にげたはずなのにくちばしてまどガラスをつつきます。おもしろくて何度もやりました。お父さんとお母さんにおしえてあげようと思ってへやに行くと、お父さんは空中にうかんでじっとしていました。すごい！　こんどやりかたをおしえてもらいます。

7月26日　火曜日

お母さんとおままごとをしました。お母さんと遊ぶのはひさしぶりです。かっちゃんが「そんなわけない」と言いました。わたしはむししてお母さんとかくれんぼをしました。そうだ、お母さん、お父さんが空中にういているよ。

7月27日　月曜日

お父さんはへやから出てきません。朝ごはんも作ってくれないのでおなかがへりました。ずっとかっちゃんもおとなしくしています。ピンポンがなりました。先生かな?　お父さんはなにも言ってくれません。

7月28日　火曜日

ピンポンがなりました。そのあとで木村さんの声がしてわたしは「あっ!」と言いました。木村さんが来てくれたよ、とナナちゃんにほうこくしました。でも、はずかしかったので出ませんでした。

7月29日　水曜日

虫があっちこっちをとんでいます。でも鳥かごにチコはいません。お母さんもいないし、かっちゃんは小さなはこの中でおとなしくしているので大じょうぶだけど、お父さんがしんぱいです。だって、虫はお父さんのところにいっぱいいるから。

7月30日　木曜日

虫がとんでいます。わたしはずっと空を見ています。今日は晴れているので、前の学校で行った遠足を思い出します。あの時はまだかっちゃんは生まれていなくて、はこの中でもなかったです。わたしはお母さんを思い出しました。お母さん、なんで死んじゃったのかな。ナナちゃんがタンスの上からおちました。ひろおうとしたけどできませんでした。

8月1日　土曜日

ハナちゃんは動きません。誰かがやってくるのを待つしかありません。

8月2日　日曜日

お家の中がすごく暑い。いっぱいの虫が外に出ようとして窓ガラスにぶつかっています。お家は閉め切っているのにどこから入って来たんだろうと不思議に思いました。入って来れたのなら出られるはずなのに。変なの、と私は思いました。ベトベトした臭いと空気で中は厭な感じです。みんなドロドロになってしまいました。

8月3日　月曜日

ちょっと前まで家族みんなが楽しくしていたのに、今はそうじゃありません。そういえばお父さんの部屋から物音がしました。なにか重いものが床に落ちて転がったようです。あまり深く考えないようにしました。私はハナちゃんと一緒いるだけで満足です。でもドロドロは厭です。

8月4日　火曜日

窓をコンコンと叩(たた)く音がします。小さい鳥がこちらを見ていました。鳥籠にいたチコちゃんです。チコちゃんはとても寂しそうな顔をしていました。お家に入りたいの？　と聞いたけど、チコちゃんにはわからないみたいでした。

8月5日　水曜日

ピンポンがなりました。遊んでくれた事がある人の声が聞こえてきます。お父さんの名前を呼んでいます。返事ができなくてごめんなさい。

8月6日　木曜日

そういえばいつか、お父さんとママが喧嘩(けんか)をしていたことを思い出しました。この部屋で変死事件があったと言っていました。もしかしたらかっちゃんのことや、ママのこともそれのせいなのかな。そんなのひどい、と思います。

8月7日　金曜日

早く見つかりますように。

8月9日　日曜日

あれれ、あれ？　私は――

8月10日　月曜日

沢山の人が部屋に入ってきました。最初にお父さんを見つけて、大人の人たちが「わー！　ぎゃー！」と騒ぎました。臭いでゲーゲーする人もいます。ハナちゃんのことも見つけてくれました。みんな悲しそうな顔をしました。泣いている人もいました。ハナちゃんの近くにはかっちゃんが入った箱がありました。私は嬉(うれ)しくて泣きたかったけど、泣けませんでした。

大人の人の誰かが、「インコがずっと玄関をくちばしで叩いていた。『人殺し、人殺し』って言いながら……」と喋(しゃべ)っていました。

バカ鳥のくせに余計なことを言うな。

8月12日　水曜日

私がここで死んだなんて納得できない。

誰も守れず、何もやり遂げられず、ただ死んだのだ。それも親友だと思っていた奴に殺された。赦(ゆる)せない。私の大事な人たちも全部滅茶苦茶になった。この部屋には楽しい思い出だけが遺るはずだったのに、私と憎しみだけが置き去りにされた。悔しい。悔しい。悔しい。

なによりも悔しいのは、私がこの部屋に巣食う呪いそのものになってしまったことだ。ごめんね、ハナちゃん。お父さん。かっちゃん。殺したくなかったけど、死んでほしかった。でもこれを最後にするから。ね、最後だから死んでも赦してくれるよね？

8月14日　金曜日

早く次の誰か、引っ越してこないかな――

発異力（2016）

想重力（2016）

ぱち金魚（2016）

幽霊（2017）

クサユウレイ（2008）

金魚（2015）

しゅくさい
饗宴　祝祭あるいは宿災

英雄の食卓（2016）

門の向こう（2017）

暗い食卓（2019）

ことりのスープ（2018）

料理群（2017）

海辺の食卓（2016）

ロウヤ（2014）

教育目標
よく学び
心やさしく
元気な子

廃校 2（2010）

廃校3（2010）

廃校４（2010）

廃校5（2010）

秋のごちそう（2004）

ねむり (2007)

風の目（2004）

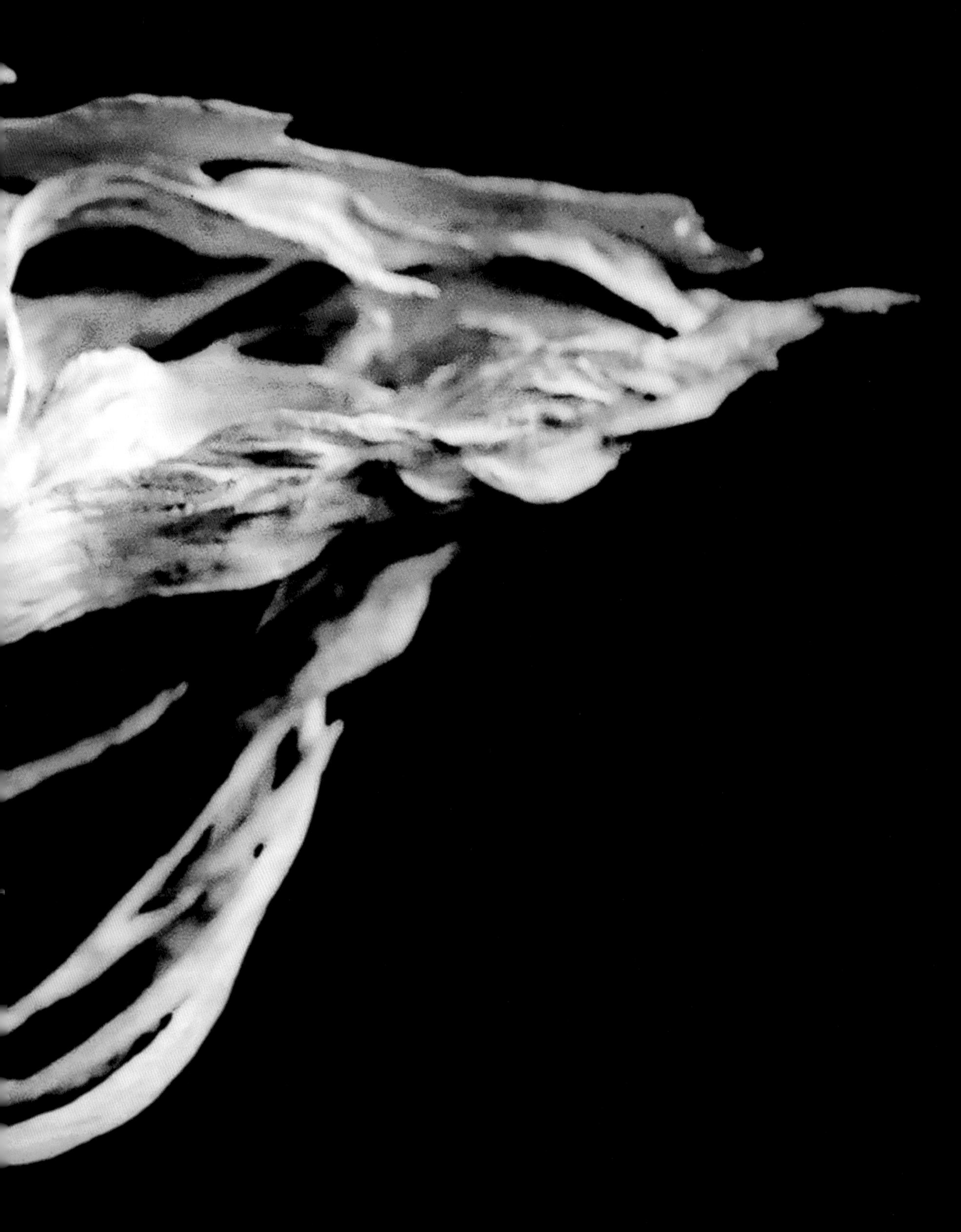

ピアノ（2011）

都会のすきま（2006）

こども庭にうれり (2003)

くびつりごっこ (2002)

どくしょ (2002)

獣大王（2007）

くる (2014)

ロッ骨（2010）

新宿ジンメンネコ（2010）

雨と船（2017）

メイドニャン (2019)

ぬいぬいとコーラ（2019）

あいぼう (2019)

草原（2019）

曽田標本（2002）

解説

生首に始まり手首に至る
——山下昇平との奇縁

東 雅夫

晩春の生暖かい風が、オドロオドロと、火照った頬に感ぜられる、蒸し暑い日の午後であった。

用事があって通ったのか、散歩のみちすがらであったのか、それさえぼんやりとして思い出せぬけれど、私は、ある場末の、見る限りどこまでも、何処までも、真直に続いている、広い、埃っぽい大通りを歩いていた。

（江戸川乱歩「白昼夢」）

さかしまに吊るされた、女の生首の話から始めよう。

時刻は折しも逢魔ヶ刻、所在は東京向島の百花園であった。

一八〇四（文化元）年創業の百花園は、江戸の郊外に設けられた風雅な私立庭園で、文人墨客のサロンとして愛され、明治期以降は相次ぐ水害や戦災で廃園の危機に見舞われながら辛くも存続、現在は都立庭園となって親しまれている。

私が百花園に関心を抱いたのは、かつてこの地に建てられていた「喜多野家茶荘」という料亭で、一九一九（大正八）年七月、文豪・泉鏡花と「おばけずき」仲間たちによる百物語怪談会が盛大に催されたのを知ったことがきっかけだった。墨田区の仕事場からも散策がてら脚をのばせる距離だったので、取材も兼ねて折々に訪れていた。

ときに二〇〇七（平成十九）年の盛夏、冒頭に掲げた乱歩「白昼夢」の一節さながらな徘徊気分でふらり百花園に立ち寄ると、いつになく園内が華やいだ雰囲気。夏季恒例の「あかりと音の夕べ」というアート・イベントが開かれていたのだ。宵闇せまる園内のそこ此処に、地元ゆかりの工芸家やアーティストによる展示作品が設置され仄かな光を発するさまは、明治の浮世絵師・小林清親の夜景画を思わせて趣があった。

ふと見れば、緑蔭に設けられた藤棚から、妙なモノが吊り下げられている。

真っ白い女の生首……と見えたのは逢魔ヶ刻のまぼろしで、精緻に仕上げられた優美な工芸品であった。頭部と首の断面から波うつのは毛髪か、はたまた触手か（山下作品に特徴的なこの意匠を、私は極私的に「昇平ウェイヴ」と呼んでいる）。そのあわい、さらには虚ろな眼窩と薄くひらいた口もとからも、ちろちろと仄明かりが漏れて……妖しくも美しい、モダンな首燈籠であった。「クサユウレイ」という表題も、鏡花の「草迷宮」を連想させて好ましかった。

とはいえそのときは、まさかこの作者と、後にさまざまな機会に仕事を共にすることになるとは、つゆほども思わなかったのである。

幽霊に続いては邪神の話を。

実を申せば同じ二〇〇七年の春、私はすでに、これまた妙な御縁で、それと知らずに山下作品と出逢っていたのだ。当時「スタジオ・ボイス」の編集長をしていた品川亮さんが、物好きにも（失礼！）ラヴクラフト作品の映像化を企画し、みずから監督・脚本を担当した。『H・P・ラヴクラフトのダニッチ・ホラー その他の物語』である。これは東映と幻冬舎が組んで始めた〈画ニメ〉というDVDシリーズから発売されたが、惜しいことにシリーズ自体が長続きせず、あまり知られないままに終わってしまった（ソフトの再発希望）。

ラヴクラフトの数ある中短篇の中から、「家の中の絵」「ダニッチ・ホラー（ダンウィッチの怪）」「フェスティヴァル（魔宴）」という通好みのセレクションによる三作品を、人形を用いた静止画をベースに映像化する、オムニバス形式の斬新な試みだった。

その人形および美術全般の制作を任されたのが、余人ならぬ山下昇平だったのである。登場人物はもとより、ラヴクラフト作品に特有の陰鬱な廃屋やその

（品川亮・監督作品／東映アニメーション）

調度、妖気ただよう荒野の光景などが、独特な質感で丸ごと視覚化されていて、たいそう感心させられた。もっとも、それ以前から舞台美術の仕事を多く手がけていた山下氏としては、むしろお手のものの仕事だったのかも知れない。

　私は品川監督から依頼されて、そのDVDにライナーノーツ的な解説を寄稿したのだが、その際、何度となく目にした映像中の山下作品と、それから数ヶ月後にたまたま遭遇した百花園の生首とが、まさか同一人物の手になるものとは、不覚にも気づかぬままであった。

　これはまあ、ひとえに、私の物覚えの悪さと迂闊さに起因するわけだが、その一方で、山下作品の驚くべき多様さにも一因があろう。

　一部の関係者のあいだで「黒ヤマシタ／白ヤマシタ」と呼ばれているように、山下昇平の造形作品には、一見すると対極に位置するような二つの方向性が認められる。

　それこそラヴクラフト一派のクトゥルー神話小説に登場する邪神たち——蛸や蝙蝠や海星や蜥蜴が渾然一体となった、触手まみれで粘液質の異形を彷彿させるようなグロテスクなオブジェを嬉々として造形するかと思えば（＝黒ヤマシタ）、ときに清楚、ときに可憐、ときにはユーモラスで愛らしい少年少女や幻獣めく動物たちを、慈しむような手つきで形づくる（＝白ヤマシタ）……。

　その振れ幅の大きさ、そしてしばしば両者が渾然一体と融合される（特に近作に顕著）ことで生み出される、他に類をみないグロテスク・リリシズムの境地——山下作品の最大の魅力は、そうしたダイナミズムにあるのではないかと思っている。

　さて、お気づきの向きもあろうが、今まで記してきた時点で私は、あたかも何物かに導かれるように（おばけ？　邪神⁉）山下作品との出逢いを重ねたものの、肝心の作者本人とは直接、出逢っていなかった。それでは、いつ、どのようにして初対面したのか……はなはだ恐縮なことに、さっぱり記憶にないのである。

　私の脳裡に浮かぶ初ヤマシタの姿は、同じく二〇〇七年の十二月、横浜は山下公園近くの某カラオケ店で、夜中に唄いまくる坊主頭のあんちゃん——私との（直接的な）初仕事のひとつとなったムック本『クトゥルー神話の謎と真実』（学研ムック）の打ち上げの席だった。

　このとき彼が手がけたのは「クトゥルー神話外伝　書簡に隠された悪夢」と題するヴィジュアル企画。架空のラヴクラフト書簡を手がかりに、謎の失踪を遂げたスペイン人探検家が蒐集した邪神崇拝の遺物を紙上再現する……というフェイク味たっぷりな内容だった。版元の担当者や編集制作実務を請け負った編集プロダクション「ビーンズワークス」（その後「幽」でも長らくお世話になりました）の出口社長との初打ち合わせの席で、山下氏の側から「クトゥルー遺物」的なヴィジュアルをモチーフにしては、という提案がなされたのだという。

　そこで、遺物に絡むストーリーを案出・執筆できる方はいないだろうか、という相談を出口さんから受けた私は、当時、第一回『幽』怪談文学賞を受賞して注目を集めていた新進小説家・黒史郎の名を即座に挙げた。

　これにはちょっとした伏線がある。

　実は同年の夏から秋にかけて、「エソテリカ別冊　クトゥルー神話の本」「スタジオ・ボイス」十月号、「ダ・ヴィンチ」十月号という三誌の共同企画として、黒史郎＆山下昇平コンビによる書き下ろしクトゥルー神話小説の連作が掲載されていたのだ。

　これはたまたま私が、三つの雑誌に関与していたことから思いついた、ひょうたんから駒みたいな企画だったのだが、黒氏の奇想と山下氏の異形造形が見事な相乗効果を生み、かつてないクトゥルー・ジャパネスクな誌面ジャックを実現できたのである。

　これに続く『クトゥルー神話の謎と真実』は大判フルカラーということで、右の共同企画にもまして、山下造形の魅力を全面展開できるに違いない……そんな読みもあった。

　果たして、黒氏がクトゥルー博物誌的な妄想の限りを尽くして生み出した奇怪な遺品群やら探検家の肖像画やらを、山下氏は如何にもなテイストで、愉しげに捏造してくれたものだ。とはいえ、これ、言うは易く、実践はなかなかに難しい仕事である。立体も平面もオールマイティな山下氏なればこそのハイ・クオリティであったのだと、いま改めて実感する次第。

かくして「てのひら怪談」の時代がやってくる。

いまは亡きオンライン書店「ビーケーワン」で、二〇〇三年から始まった八〇〇字の掌篇怪談公募（選考委員は加門七海、福澤徹三、東雅夫）の優秀作品が、『てのひら怪談　ビーケーワン怪談大賞傑作選』としてポプラ社から単行本で発刊されたのが、これまた奇しくも二〇〇七年のこと（何だったのか、この年は……）。同書は幸いにも大きな反響を呼びシリーズ化が決定、翌年には折から創刊されたポプラ文庫に早くも収められた。

その際、新たにカバーと本文中の装画を担当したのが、またしても山下昇平である。

人に似て人ならざる異形の造形物（その多くは文字どおりのてのひらサイズ！）を携えて市街地を歩きまわり、ここぞ、という光景に出遭うと絶妙なポジションにこっそり配置して、みずからの手で撮影するというゲリラ的手法で生み出された装画の数々は、日常にひそむ違和感や異界性に着目し、八〇〇文字の小宇宙に凝縮させる「てのひら怪談」の趣旨を、鮮やかにヴィジュアライズする試みだったといってよいだろう。

ポプラ文庫から年刊で出た五冊（二〇〇八～二〇一二）およびMF文庫ダ・ヴィンチの一冊（二〇一三）――六年間にわたる山下氏の「てのひら怪談」コラボは、改めて通覧すると、この時期の山下作品のミニ作品集としても味わい深い。三年目の『てのひら怪談　庚寅』のときには、古書店で撮影したいという作者のリクエストに応え、神保町の知り合いの店に頼んで、店内での撮影に同行したこともある。

見馴れた古書店の光景が、山下氏の造形物が加わることで、たちまち異界めく翳りを帯びる不思議さを目の当たりできたのは、得がたい体験だった。

ちなみに文庫シリーズでは右のごとく、刊行年の干支（十干十二支）を巻数表記の代わりに用いており、山下氏の造形物も「庚寅」なら「虎」、「辛卯」なら「兎」、「癸巳」なら「蛇」といった具合に、干支にちなんだ動物をモチーフにした幻獣人間シリーズになっていた。仕事の迅速なことでは定評がある（見習わねば！）山下氏だが、こういう考え抜かれた趣向の妙、濃やかな心配りの点でも、やはり定評がある。それがまた、多くの作家や編集者、デザイナーから愛される所以であり、近年における目覚ましい活躍をもたらしてもいるのだろう。

そういえば、てのひら怪談出身作家の田辺青蛙さんが、二〇一六年から三年間にわたり主催した「大阪てのひら怪談」では、全応募作を山下氏が絵に描くという仰天すべきパフォーマンスが行なわれた。応募総数三〇〇篇前後とはいえ、その総てを極めて限られた時間的制約の中で一葉一葉の絵にするというのは、誰にでも出来る業ではない。

画家としての並外れた膂力と瞬発力の賜物だろう。

最後に「ノボルーザ」の話を。

ひょんなことから能楽師の安田登さんと知り合った私は、彼が一騎当千のクロス・ジャンルな仲間たち――狂言師の奥津健太郎さんや浪曲師の玉川奈々福さん、ミュージシャンのヲノサトルさんほか多士済々――と続けている創作舞台に出演する（文芸評論家なのに！）機会を得た。鏡花先生原作の『天守物語』公演の時だったと思うが、巨大な獅子頭とか手鞠といった舞台上の造り物を頼める造形家を知りませんか、と安田さんに訊かれ、「あ、それならピッタリの逸材がいますよ」と紹介したのが、これまた余人ならぬ山下昇平だった。もともと舞台美術を手がけていたこともあるが、なんとなく安田さんとは合いそうな気がしたのである。この予感は見事的中、今では「ノボルーザ（安田一座）」の座付美術家として、欠かせない存在になっている。

その打ち合わせや稽古中に、改めて気づいたことがある。

ひっきりなしに動いている、彼の手だ。

愛用のスケッチブックに、手帖に、ときには紙片の切れ端に、いつも何かしら描いている。粘土で何か拵えていることもある。

そのときの手つきを見ると私は、妖怪漫画の巨匠・水木しげるが描く作中人物の独特な「手」の描写（手だけのバケモノの話もありますな）を連想する。

彼の旺盛な創作力の本体は、常に生動してやまないこの手なのではないか……そんな妄想に駆られるのである。

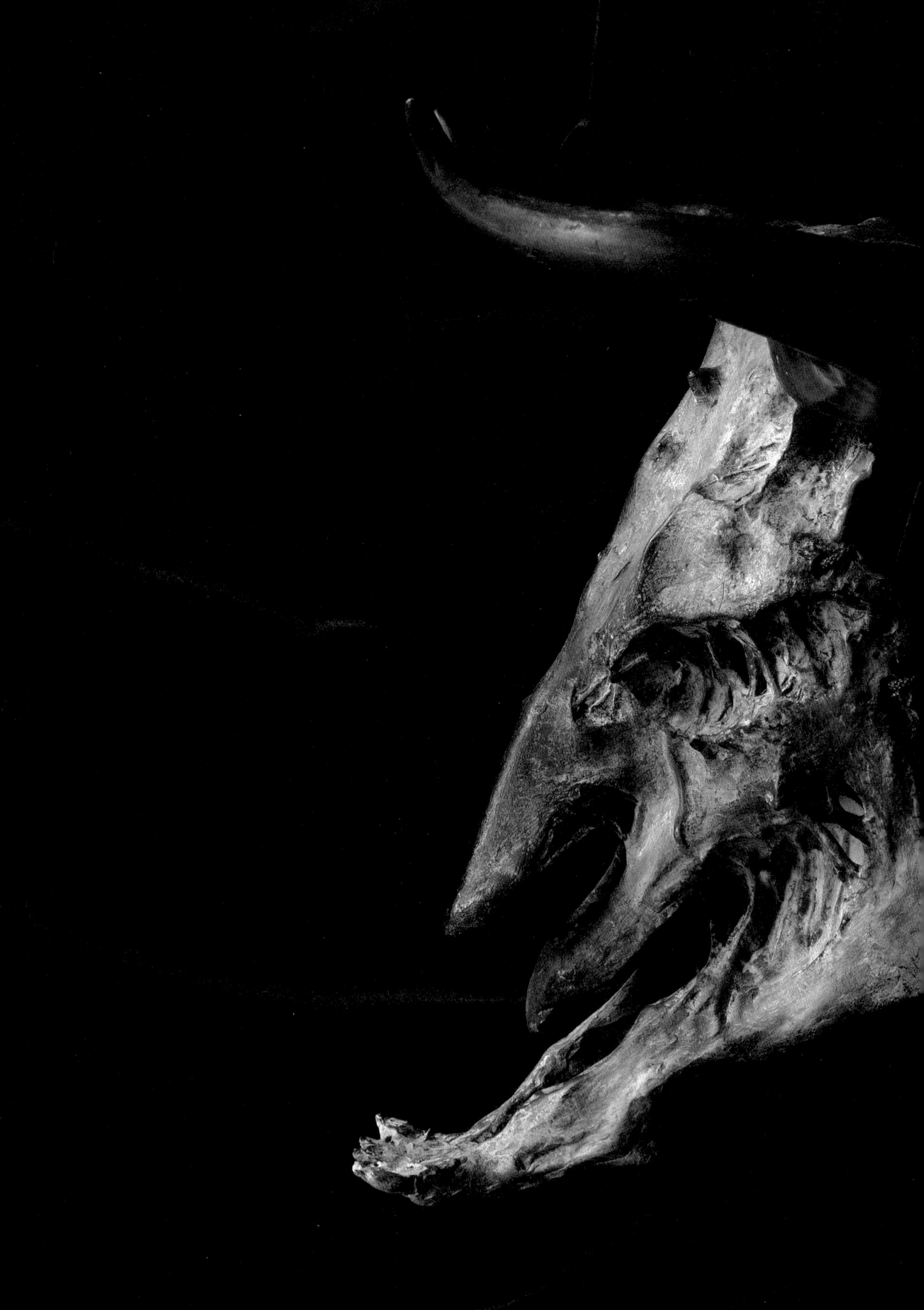

牛頭（2017）

わたぬきぬ (2017)

キモノ葉月面並べ（2016）

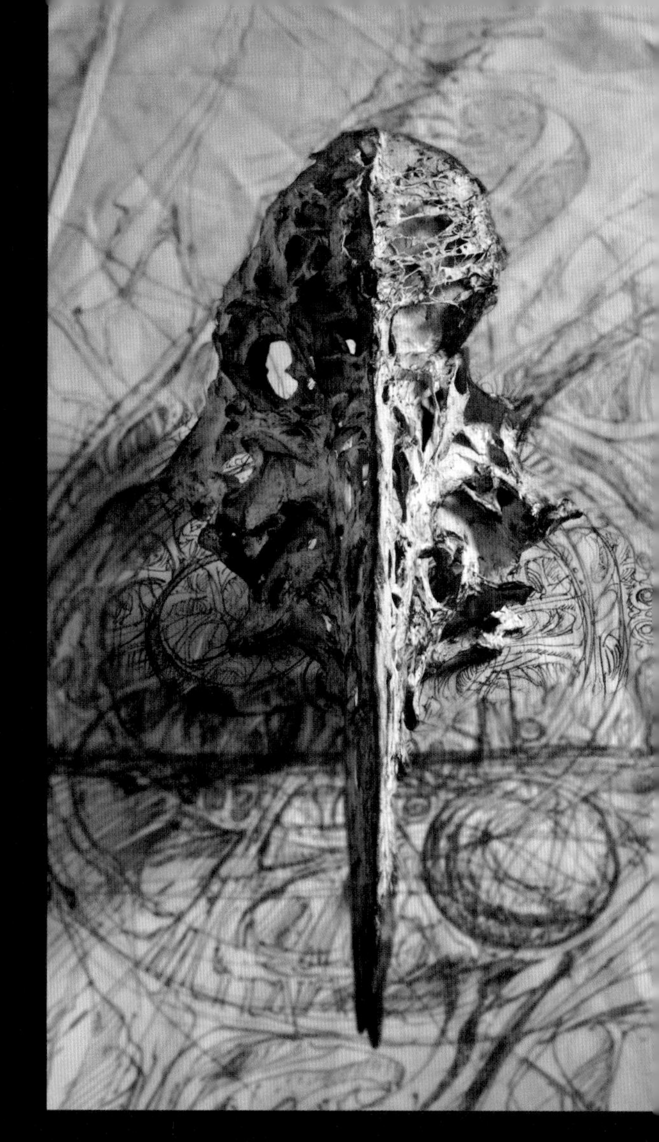
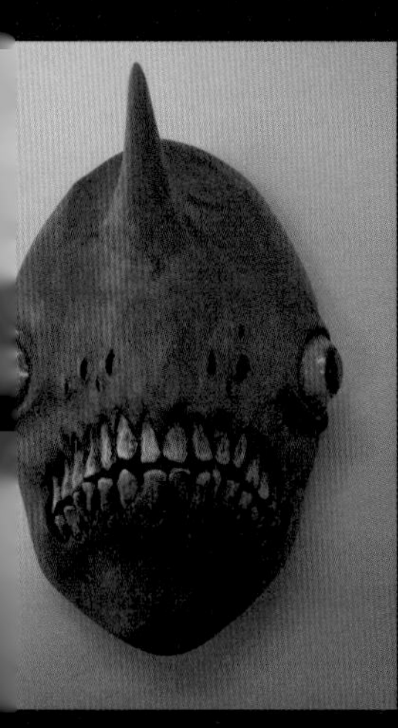
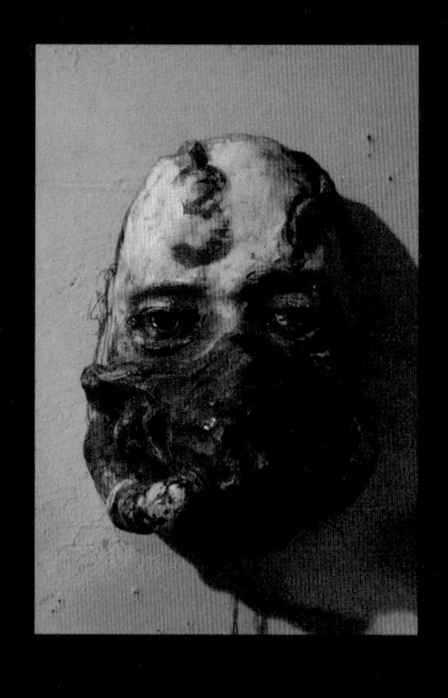

雑造雑画集

美少女

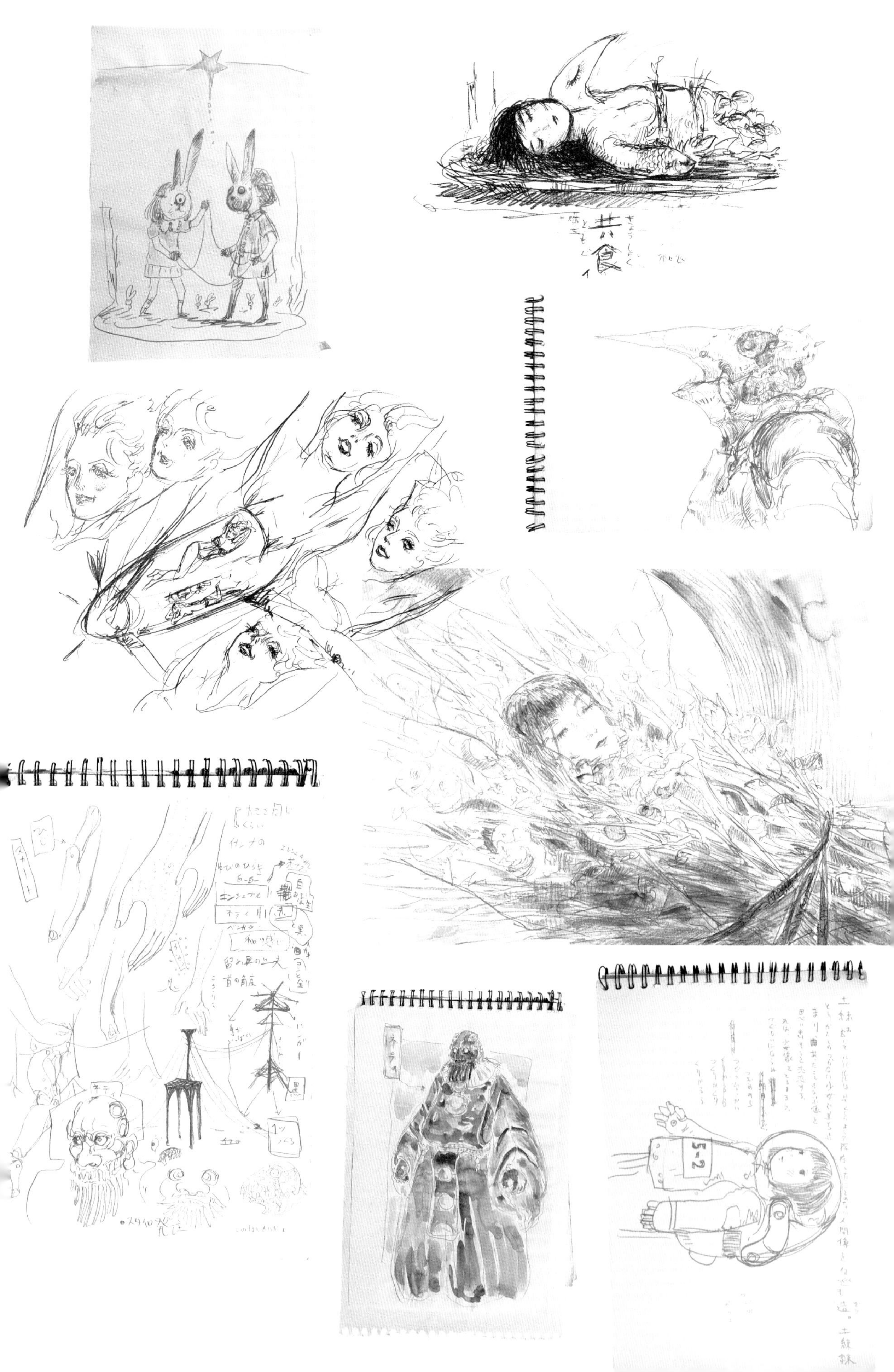

共食
きょうしょく
スカート
ベンガラ
和の感じ
首の角度
ハンガー
1ツつくる
ネティ
5-2

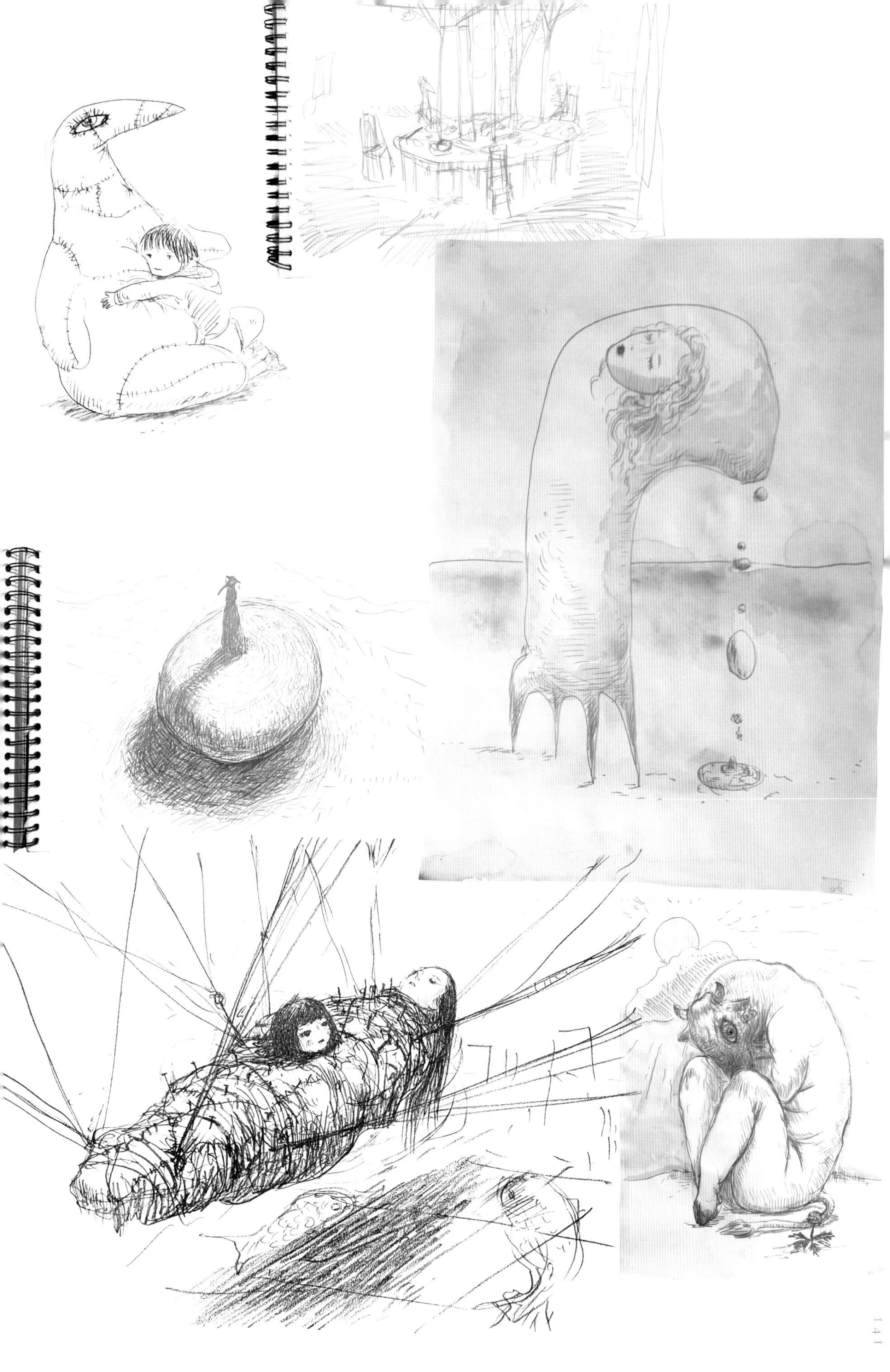

ハダイロ
練習
キット
シリコン 3000
レジンキャスト 1400
700

P 25, 26　『幽』26号（KADOKAWA）
P 72-73　『幽』26号（KADOKAWA）
P 74-75　最東対地『おるすばん』（角川ホラー文庫）
P 82　黒木あるじ『無惨百物語　みちづれ』（角川ホラー文庫）
P 86　黒木あるじ『無惨百物語　ておくれ』（角川ホラー文庫）
P 96　平山夢明監修『怪談実話 FKB饗宴7』（竹書房文庫）
P114　黒史郎『獣王』（メディアファクトリー）
P117　加門七海・福澤徹三・東雅夫編『てのひら怪談 庚寅』（ポプラ文庫）

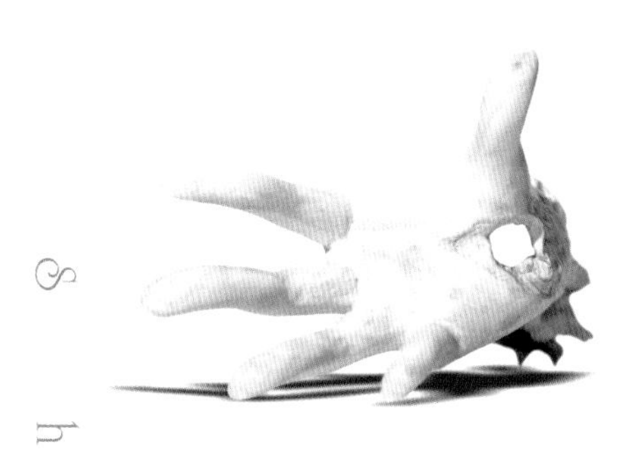

Shi En

贄宴

山下昇平作品集

Syohei Yamashita

著者　山下昇平
川奈まり子、京極夏彦、黒史郎、
最東対地、東雅夫
デザイン　坂野公一（welle design）
発行所　二見書房
東京都千代田区神田三崎町 2-18-11
電話　03-3515-2311（営業）
03-3515-2313（編集）
振替　00170-4-2639
印刷　株式会社 堀内印刷所
製本　株式会社 村上製本所

ISBN978-4-576-20116-0
https://www.futami.co.jp